光緒庚寅秋九月杭州許氏榆園校刊

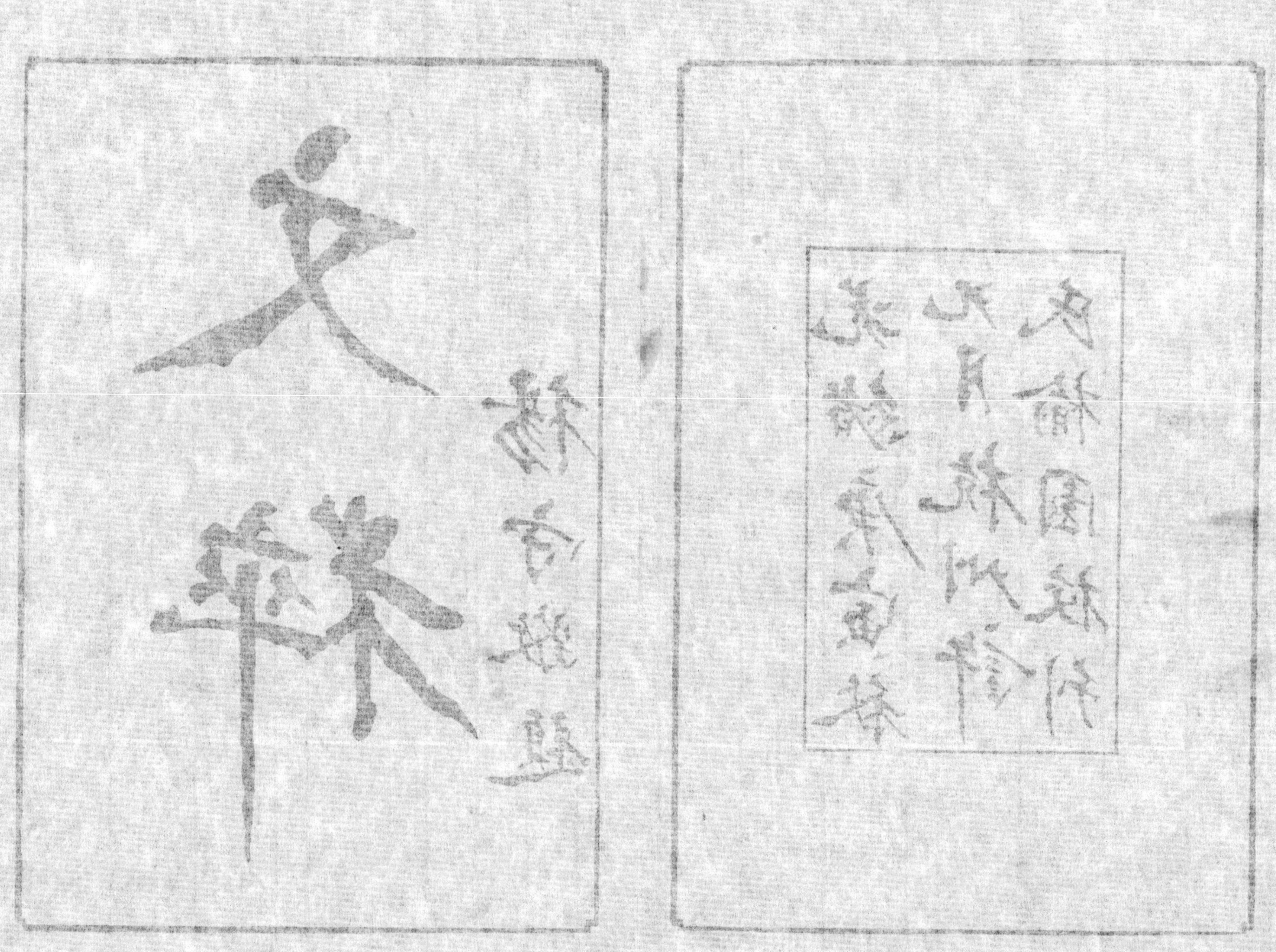
文華
楊守敬題
光緒庚寅春

銘四 總一十二首誄表述附　　吳興　姚鉉　纂

庶官

唐銀青光祿大夫守吏部尚書兼御史大夫充諸道鹽鐵轉運等使上柱國趙郡開國公李公墓誌銘 權德輿

唐吏部侍郎贈禮部尚書昌黎韓先生墓誌銘 皇甫湜

唐工部員外郎杜甫墓誌銘 元稹

唐監察御史周公墓碣銘 柳宗元

唐太學博士施先生墓誌銘 韓愈

唐著作郎贈祕書少監權君墓表 李華

唐太子校書李元賓墓誌銘 韓愈

牧守

唐柳州刺史柳子厚墓誌銘

呂衡州誄 柳宗元

左黃州表 元結

陸歙州述 李翺

賢宰

元魯山墓碣銘 李華

唐銀青光祿大夫守吏部尚書兼御史大夫充諸道鹽鐵轉運等使上柱國趙郡開國公贈尚書右僕射李公墓誌銘 并序

權德輿

惟元和四年夏五月丁卯冢宰趙郡公巽寢疾薨于永崇里享年六十三天子憫然不視朝追命右僕射冬十月乙酉返葬于洛師緱氏縣芝田鄉之大墓公字令叔趙郡贊皇人曾祖知讓皇河南府長水縣主簿祖承眉江州別駕贈太府少卿父嶷右武衛錄事參軍飾終四加至尚書右僕射世載德善至公昌大始以明經筮仕爲華州參軍試言超絕補鄠縣尉登朝爲監察御史殿中侍御

史由美原縣令課最爲刑部員外郎由萬年縣令課最爲戶部左司二郎中由常州刺史理行第一徵爲給事中以御史中丞領潭州刺史湖南觀察使就加右散騎常侍以右散騎常侍領洪州刺史江西觀察使就加御史大夫由二府報政入爲兵部侍郎在途加度支鹽鐵副使至止踰月代今司徒岐公爲使明年遷兵部尚書閒一歲轉吏部尚書總八柄平九賦左右理道以紓元元天子方推心竦意倚以爲相奄然大病斯可痛也公溫重方嚴愷悌忠清得洪範之正直稟大雅之明哲強志特立爲儒門吏師中臺草議左曹還詔法程之下無尤違分畫之下無差失其爲二方循班制建長利布以休穌樹之風聲大凡都府歲杪使刻深吏周行支郡鉤摭泉貨二千石不相聊生如枯莩然公至分命部從事覽觀禮俗問人疾苦廉吏善否而已至有經用之羨使郡自爲理得以蠲乏用補庸亡府無私焉四履之內遇凶旱水溢損有餘以均不足農里無大乏官司無宿憂而邦鄉碩生勸學講藝導彼輕僄率循教化皆有聲詩揭于康莊其制國用也調盈虛御輕重阜齊人之業而地不加賦佐公家之急而利無所渫先是池澤之稅因緣爲奸牢盆以私幣貨寖濫公則去一朝之便質終歲之成變其苦窳以寬物力盈入之數不可勝條上嗣位之歲發武庫禁兵以誅劉闢三蜀之饋不乏於軍千金之費不征於人揚天聲於井絡斷戎首於齊斧是皆謀猷大績經理大本豈止於漢庭桑大夫耿中丞區區然商功利析秋豪而已哉其爲天官已嬰寢患猶與郎吏切劘奏書去繳繞之科禁絕私回於胥吏士之得調者多受賜焉內外埽除之際精爽不亂與上介言職業雖康寧宴閒之不若君子以爲難自解巾褐至捐館舍凡歷官十六利刃觸虛大車以載文理聰明卓冠出倫規爲密靜矩度章灼大史之所表的諸公之所嚴重其文采精實循道體要而不爲曼辭其術學博洽析中定疑而不理章句喜士尊賢開懷盍簪絲桐博弈談笑嘔噱每有餘裕而無留事志在端正百度儀型四方以謨明弘濟爲己任而績

用未究斯吾君所以當宁流歎而衆君子失聲恒化豈虛也哉凡三合姓初曰范陽盧夫人太子賓客幼平之女次京兆韋氏二夫人潁州刺史勺洎膳部員外郎襄之女以從祖妹而繼室焉皆以華腴淑哲不幸彫落長子紹左衛兵曹參軍鳳翔節度巡官專謹有馴行嗣子繼京兆府參軍飾躬彊學幼子紓編皆以門廕在仕紹繼等泣次先公官簿事業請書墓石且以理命見託故不得讓焉銘曰

太行之東全趙古風鍾懿美兮左車武毅元禮文事叢慶祉兮天官冢卿莊重廉清大君子兮精金斷割良玉特達視所履兮表率二邦鰥孤惠康斯樂只兮均齊八政氐慎徽令有經紀兮宜登上台以賦羣才命遄已兮緜原厚地追琢款識神在此兮

唐吏部侍郎贈禮部尚書昌黎韓先生墓誌銘 并序

皇甫湜

長慶四年八月昌黎韓先生既以疾免吏部侍郎譴湜曰死能令

我躬所以不隨世磨滅者惟子以爲囑其年十二月丙子遂薨明年正月其孤昶使奉功緒之錄繼訃以至三月癸酉葬河南河陽乃哭而敘銘其墓其詳將揭之於神道碑云先生諱愈字退之後魏安桓王茂六代孫祖朝散大夫桂州長史諱叡素父祕書郎贈尚書左僕射諱仲卿先生七歲好學言出成文及冠恣爲書以傳聖人之道人始未信既發不掩聲震業光衆方驚爆而萃排之乘危將顛不懈益張卒大信於天下先生之作無圓無方至是歸工抉經之心執聖之權尚友作者跋邪觝異以扶孔氏存皇之極知與罪非我計茹古涵今無有端涯渾渾灝灝不可窺校及其酣放豪曲快字淩紙怪發鯨鏗春麗驚耀天下然而栗密窈眇章妥句適精能之至入神出天嗚呼極矣後人無以加之矣姬氏已來一人而已矣始先生以進士三十有一仕歷官其爲御史尚書郎中書舍人前後三貶皆以疏陳治事廷議不隨爲罪常惋佛老氏法潰聖人之隄乃唱而築之及爲刑部侍郎遂章言憲宗迎佛骨非

是任爲身恥上怒天子先生處之安然就貶八千里海上嗚呼古所謂非苟知之亦允蹈之者邪吳元濟反吏兵八屯無功國湎將疑衆懼恟恟先生以右庶子兼御史中丞行軍司馬宰相軍出潼關請先乘遽至汴感說都統師乘遂和卒擒元濟王庭湊反圍牛元翼於深救兵十萬望不敢前詔擇庭臣往諭衆慄縮先生勇行元稹言於上曰韓愈可惜穆宗悔馳詔無徑入先生曰止君之仁死臣之義遂至賊營麾其衆責之賊恇汗伏地乃出元翼春秋美臧孫辰告糴于齊以爲急病校其難易孰爲宜褒嗚呼先生眞古所謂大臣者邪遷拜京兆尹斂禁軍帖旱羅纖倖臣之鋩再爲吏部侍郎薨年五十七贈禮部尚書先生與人洞朗軒闢不施戟級族姻友舊不自立者必待我然後衣食嫁娶喪葬平居雖寢食未嘗去書怠以爲枕飡以飴口講評孜孜以磨諸生恐不完美游以詠笑嘯歌使皆醉義忘歸嗚呼可謂樂易君子鉅人長者矣夫人高平郡君范陽盧氏孤前進士昶壻左拾遺李漢登〔嘉靖本衍〕集賢校理樊宗懿次女許嫁陳氏三女未笄銘曰

維天有道在我先生萬頸胥延坐廟以行令望絕邪痌此四方維聖有文乖微歳千先生起之焯役于前彍義滂仁耿照充天有如先生而合亙年按我章書經紀大環唫不時施昌極後昆噫嘻永歸奈知之悲

唐工部員外郎杜甫墓誌銘〔并序〕　元稹

敘曰余讀詩至杜子美而知古人之才有所總萃焉始堯舜時之君臣以賡歌相和是後詩人繼作歷夏殷周千餘年仲尼緝拾選練取其干預教化之尤者三百篇其餘無聞焉騷人作而怨憤之態繁然猶去風雅日近尚相比擬秦漢已還采詩之官既廢天下俗謠民謳歌頌諷賦曲度嬉戲之詞亦隨時間作至漢武帝賦柏梁詩而七言之體具蘇子卿李少卿之徒尤工爲五言雖句讀文律各異雅鄭之音亦襍而詞意閑遠指事言情自非有爲而爲則文不妄作建安之後天下之士遭罹兵戰曹氏父子鞍馬間爲文

往往橫槊賦詩故其遒文壯節抑揚怨哀悲離之作尤極於古晉世風槩稍存宋齊之間敎失根本士以簡慢歙習舒徐相尚文章以風容色澤放曠精清爲高蓋吟寫性靈流連光景之文也意義格力無取焉陵遲至梁陳淫豔刻飾佻巧小碎之詞又宋齊之所不取唐興學官大振歷世之文能者互出而又沈宋之流研練精切穩順聲勢謂之爲律詩由是而后文體之變極焉而又好古者遺近務華者去實效齊梁則不逮於晉魏工樂府則力屈於五言律切則骨格不存閒暇則纖穠莫備至于子美所謂上薄風雅下該沈宋言奪蘇李氣吞曹劉掩顏謝之孤高雜徐庾之流麗盡得古今之體勢而兼昔人之所獨專矣如使仲尼考鍛其旨要尚不知貴其多乎哉苟以爲能所不能無可無不可則詩人已來未有如子美者是時山東人李白亦以奇文取稱時人謂之李杜余觀其壯浪縱恣擺去拘束模寫物象及樂府歌詩誠亦差肩於子美矣至若鋪陳終始排比聲韻大或千言次猶數百詞氣豪邁

而風調清深屬對律切而脫棄凡近則李尚不能歷其藩翰況堂奧乎余嘗欲條析其文體別相附與來者爲之準特病懶未就爾適子美之孫嗣業啟子美之柩襄祔事於偃師途次于荆楚雅知余愛言其大父之爲文祈余爲誌辭不可絕余因系其官閥而銘其卒葬云系曰晉當陽侯杜氏下十世而生依藝令鞏依藝生審言審言善詩官至膳部員外郎審言生閑閑爲奉天令甫字子美天寶中獻三大禮賦明皇奇之命宰相試文文善授率府曹屬京師亂步謁行在授左拾遺歲餘以直言失官出爲華州司功尋遷京兆功曹劒南節度使嚴武拔爲工部員外參謀軍事旋又棄其官扁舟下荆楚間竟以寓卒旅殯岳陽享年五十九夫人弘農楊氏女父曰司農少卿怡四十九年終嗣子曰宗武病不克葬沒命其子嗣業嗣業以家貧無以給喪收拾乞匃焦勞晝夜去子美沒後餘四十年然後卒先人之志亦足爲難矣銘曰

惟元和之癸巳粵某月某日之佳辰合窆我杜子美於首陽之山

前嗚呼千歲而下曰此文先生之古墳

唐監察御史周公墓碣銘并序　柳宗元

有唐貞臣汝南周氏諱某字某以諫死葬于某貞元十二年柳宗元立碣于墓左在天寶年有以諂諛至相位賢臣放退公爲御史抗言以白其事得死于墀下史臣書之公之死而佞者始畏公議於戲古之不得其死者衆矣若公之死志匡邦國氣震姦佞動獲其所斯蓋得其死者歟公之德之才洽於傳聞卒以不試而獨申其節猶能奮百代之上以爲世軌者也若令生於定哀之閒則孔子不曰未見剛者出於秦楚之後則漢祖不曰安得猛士而存不及興王之用沒不遭聖人之歎誠立志者之所悼也故爲之銘曰

忠爲美道是履諫而死佞者止史之志石以紀爲臣軌兮

唐太學博士施先生墓誌銘　韓愈

貞元十八年十月十一日太學博士施先生士丏卒其寮太原郭伉買石誌其墓昌黎韓愈爲之詞曰先生明毛鄭詩通春秋左氏傳善講說朝之賢士大夫從而執經考疑者繼于門太學生習毛鄭詩春秋左氏傳者皆其弟子貴游之子弟時先生之說二經來太學帖帖坐諸生下恐不卒得聞先生死二經生喪其師仕於學者亡其朋故自賢士大夫老師宿儒新進小生聞先生之死哭泣相弔歸衣服貨財先生年六十九在太學十九年由四門助教爲太學助教由助教爲太學博士秩滿當去諸生輒拜疏乞留或留或遷離太學祖曰旭袁州宜春尉父曰婼豪州定遠丞妻曰太原王氏先先生卒子曰友直明州鄮縣主簿曰友諒太廟齋郎系曰先生之祖氏自施父其後施常事孔子以彰雒爲博士延爲太尉太尉之孫始爲吳人曰然曰績亦載其跡先生之興公車是召纂序前聞于光有耀古聖人言其旨密微箋注紛羅顛倒是非聞先生講論如客得歸卑讓肫肫出言孔揚今其死矣誰嗣爲宗縣曰萬年原曰神禾高四尺者先生墓邪

唐著作郎贈祕書少監權君墓表　李華

君姓權氏諱皋字士繇天水人符秦尚書僕射翼之後世為著姓祖某某官父某某官咸有令德君既冠進士及第試臨清尉時節將兼本道使籍君高名表為薊縣尉充判官無何主將以逆節露君乃詐死扶親涉江既免禍衆知幾其神先帝聞而歎之除評事御史方議大用屬太夫人病危君侍奉憂勞因中痼疾無何太夫人終君泣血三年厥疾用加服除遷起居舍人著作郎大曆元年四月某日不幸逝於丹徒因殯焉享齡四十二嗚呼識者慟哭聞者痛心君有大節不可奪大名不可掩大才不可及大行不可名天與之仁不與之年哀哉自開元天寶已來高名下位華方疾不能備舉然所憶者曰河南元君德秀元終十年而南陽張君有略張歿二年而君天元之志如其道德張之行如其經術君之才如其聲望人倫其瘁乎君素與昌黎韓幼深京兆王鎮卿洎華友善韓評君曰可以為宰輔王評君曰可以為師保華評君曰分天下之善惡一人而已矣夫人隴西李氏仁賢有一子某生七年哀禮過成人嗚呼有後哉朝廷贈君以祕書少監悼賢也華因病風曳杖而往哭之常聞師乙之言曰溫良而能斷者宜歌齊權君可謂溫良而能斷者也故為齊風表君之墓云

忠於而國孝於而家絜而不滓瑜而不瑕仁胡不壽為善者何君不幸邪時不幸邪

唐太子校書李元賓墓誌銘 并序

韓愈

李觀字元賓其先隴西人始來自江之東年二十四舉進士三年登上第又舉博學宏詞得太子校書又一年年二十九客死於京師既斂之三日其友人博陵崔弘禮葬之于國東門之外七里鄉曰慶義原曰嵩原友人昌黎韓愈書石以誌之其辭曰

已乎元賓壽也者吾不知其所慕天也者吾不知其所惡生而不淑孰謂其壽死而不朽孰謂其夭已乎元賓才高乎當世行出乎古人竟何為哉竟何為哉按嘉靖本有已乎元賓四字

唐柳州刺史柳子厚墓誌銘 并序

子厚諱宗元七世祖（諱慶）為拓跋魏侍中封濟陰公曾伯祖諱奭為唐宰相與褚遂良韓瑗俱得罪武后死高宗朝皇考諱鎮以事母棄太常博士求為縣令江南其後以不能媚權貴失御史權貴人死乃復拜侍御史號為剛直所（與游）皆當世名人子厚少精敏無不通達逮其父時雖少年已自成人能取進士第嶄然見頭角衆謂柳氏有子矣其後以博學宏詞授集賢殿正字儁傑廉悍議論證據今古出入經史百子踔厲風發率常屈其座人名聲大振一時皆慕與之交諸公要人爭欲令出我門下交口薦譽之貞元十九年拜監察御史順宗即位王叔文韋執誼用事拜禮部員外郎且將大用遇叔文等敗例出為刺史未至又例貶永州司馬居閒益自刻苦務記覽為詞章汎濫停蓄為深博無涯涘而自肆於山水之閒元和中嘗例召至京師又偕出為刺史而子厚得柳州既至歎曰是豈不足為政邪因其土俗為設教禁州人順賴其俗以男女質錢約不時贖子本相侔則沒為奴婢子厚與設方計悉令贖歸其尤貧力不能者令書其傭足相當則使歸其質觀察使下其法於他州比一歲免而歸者且千人衡湘以南為進士者皆以子厚為師其經承子厚口講指畫為文詞者悉有法度可觀其召至京師而復為刺史也中山劉夢得禹錫亦在遣中當詣播州子厚泣曰播州非人所居而夢得親在堂吾不忍夢得之窮無辭以白其大人且萬無母子俱往理請於朝將拜疏願以柳易播雖重得罪死不恨遇有以夢得事白上者夢得於是改連州嗚呼士窮乃見節義今夫平居里巷相慕悅酒食游戲相徵逐詡詡強笑語以相取下握手出肺肝相示指天日涕泣誓生死不相背負真若可信一旦臨小利害僅如毛髮比反眼若不相識落陷穽不一引手救反擠之又下石焉者皆是也此宜禽獸夷狄所不忍為而其人自視以為得計聞子厚之風亦可少愧矣子厚前時少年勇於為人不自貴重顧藉謂功業可立就故坐廢退既退又無相知有氣力得位者推挽故卒死於窮裔才不為世用道不行於時也使子

厚在臺省時自持其身已能如司馬刺史時亦自不斥斥時有人力能舉之且必復用不窮然子厚斥不久窮不極雖有出於人其文學辭章必不能自力以致必傳於後如今無疑也雖使子厚得所願為將相於一時以彼易此孰得孰失必有能辨之者子厚以元和十四年十月五日卒年四十七以十五年秋七月歸葬萬年先人墓側子厚有子男二人長曰周六始四歲季曰周七子厚卒乃生女子二人皆幼其得歸葬也費皆出觀察使河東裴君行立行立有節槩重然諾與子厚結交子厚亦為之盡竟賴其力葬子厚於萬年之墓者舅弟盧遵遵涿人性謹順學問不厭自子厚之斥遵從而家焉逮其死不去既往葬子厚又將經紀其家庶幾有始終者銘曰

是惟子厚之室既固既安以利其嗣人

呂衡州誄　柳宗元

惟唐元和六年八月日衡州刺史東平呂君卒爰用十月二十四日藁葬于江陵之野嗚呼君有智勇孝仁惟其能可用康天下惟其志可用經百世不克而死世亦無由知焉君由道州以陟為衡州君之卒二州之人哭者踰月湖南人重社飲酒是月上戊不飲酒去樂會哭于神所而歸余居永州在二州中聞其哀聲交于南北舟船之上下必呱呱然蓋嘗聞於古而覩於今也君之志與能不施于生人知之者又不過十人世徒讀君之文章歌君之理行不知二者之於君其末也嗚呼君之文章宜瑞於百世今其存者非君之極言也獨其辭耳君之理行宜及於天下今其聞者非君之盡力也獨其迹耳萬不試而一出焉猶為當世所重若使幸得出其十二三則巍然為偉人與世無窮其可涯也君所居官為第三品宜得謚于太常余懼州史之逸其辭也私為之誄以志其行其辭曰

麟死魯郊其靈不施濯濯夫子胡絜其儀冠仁服義干櫓書詩忠貞繼佩智勇承綦跨騰商周堯舜是師道不勝禍天固余欺鬼神

齊怒妖蠻咸疑何付之德而奪其時嗚呼哀哉命姓惟呂勤唐以力輔寧萬邦受胙爾國惟師元聖周以降德世征五侯伊祖之則嗣濟厥武前書是式至于化光爰耀其特春秋之元儒者咸君達其道卓然孔直聖人有心由我而得敷施變化動無不克推理唯公舒文以翼宣于事業與古同極道不苟用資仕乃揚進于禮司奮藻含章決科聯中休問用張署讎百氏錯綜遍光超都諫列屢乎其囊帝殊爾能人服其智戎悔厥禍款邊求侍盛選邦良難乎始使君登御史贊命承事風動海堧皇威以致來總征賦甲茲郎吏制用經邦時推重器諸臣之復周官匪易漢課悈奏鮮云能備君自他曹載出其技筆削自任羣儒革議正郎司刑邦憲爲貳糺侫肅邪詔諛具畏遷理道民民服休嘉恩疏若膽惕邇如遐實閉其閤而撫于家載其愉樂申以舞歌賦無吏迫威不刑加浩然順風從令無譁絲蠶外邑我藟盈車雜耕鄰邦我黍之華旣字其畜亦蓺其麻鼛鼓斯屏人喜則多始富中教興良廢邪考績旣成

王用興嗟陟于嶽濱言進其律號呼南竭謳謠北溢欺吏悍民先聲如失逋租匿役歸誠自出兼并旣息罷羸乃逸唯昔舉善盜奔于鄰今我興仁化爲齊人唯昔富人或賑之粟今我厚生不竭而足邦思其弼人戴唯父善胡召災仁胡罹咎俾民伊怙而君不壽矯矯貪陵乃康乃茂嗚呼哀哉廩不餘食藏無積帛內厚族姻外賙賓客恒是懸磬逮茲易簀僮無凶服葬非舊陌嗚呼哀哉君昔與余講德討儒時中之奧希聖爲徒志存致君笑詠唐虞揭茲日月以耀羣愚疑生所怪怨起特殊齒舌嗷嗷雷動風驅良辰不偶卒與禍俱直道莫試嘉言罔敷王佐之器窮以郡符秩在三品宜謚王都諸生羣吏尙擁良圖故友咨懷累行陳謨是旌是告永永不渝嗚呼哀哉

左黃州表　元結

乾元己亥贊善大夫左振出爲黃州刺史下車黃人歌曰我欲逃鄉里我欲去墳墓左公今旣來誰忍棄之去於戲天下兵興今七

年矣淮河之北千里荒草自關已東海濱之南屯兵百萬不勝征稅豈獨黃人能使其人忍不去者誰曰不可頌乎後一歲黃人又歌曰吾鄉有鬼巫惑人人不知天子正尊信左公能殺之於戲近年已來以陰陽變怪將鬼神之道罔上惑下得尊重於當時者日見斯人黃之巫女亦以妖妄得蒙恩澤朝廷不問州縣惟其意公忿而殺之則彼可誅戮豈獨巫女如左公者誰曰不可頌乎三拜遷侍御史判金州刺史將去黃人多去思故爲黃人作表如左氏世系左公歷官及黃之門生故吏與巫女事則南陽左公悉記之

陸歙州述　　李翺

吳郡陸傪字公佐生于世五十七年明于仁義之道可以化人倫厚風俗者餘三十年連事觀察使觀察使不能知退居于田者六七年由侍御史入爲祠部員外郎年出刺歙州卒于道貞元十八年四月二十八日也凡人之所不能窮者必推之于天天之注膏雨也人之心以爲生旱苗然也雨與苗運相違或雨于海或雨于山旱苗不得仰其澤惟人也亦然天之生俊賢也人之心以爲拯顚頷之人然也賢者與顚頷之人時不合或死于野或得其位而道不能行顚頷之人不得被其惠膏雨之降也適然賢者之生于時也亦然運相合旱苗仰其澤顚頷之人賴其力傅說甘盤尹吉甫管夷吾之類也時弗合膏雨降雖終日賢哲生雖比肩旱苗之不救百姓之弗賴顏子子思孟軻董仲舒之類也故賢哲之生自有時百姓之賴其力天也不賴其力亦天也嗚呼公佐之官雖列于朝雖刺于州其出入始二年道之不行與居于田時弗差也公佐之賢雖曰已聞其德行亦未必昭昭然聞于天子公佐是以不得其職出刺一州又短命道病死天下之人未蒙其德固宜矣則天之生君也授之以救人之道不授之以救人之位如膏雨之或雨于海或雨于山旱苗之不沐其澤者均也故君之不得其位以行其道者命也其亦有不足于心者邪得是道者窮居于野非所屈冠冕而相天下非所伸其何有不足于心者邪

元魯山墓碣銘并序　李華

惟唐天寶十二載九月二十七日魯山令河南元公終于陸渾草堂春秋五十九服名節者無不痛心嗚呼堂内有篇簡巾褐枕履琴杖簞瓢而已堂下有接賓之位孤甥受學之室過是而往無以送終名高之士陸渾尉梁園裔潭賻以清白之俸遂其喪葬以明月十二日窆于所居南岡禮也公諱德秀字紫芝延州使君之子後魏七葉易爲元公其裔也世世有明哲承而述之幼挺全德長爲律度神體和氣貌融視色知敎不言而信大易之易簡黃老之清淨惟公備焉延州卽世之後昆弟彫落慈親羸老無小無大仰餘於公及應府貢如京師不忍離親躬負安輿往復千里以才行第一進士登科丁艱聲動於心既過苴枲刺血畫佛像寫經以不貲之身中罔極之報食無鹽酪居無爪翦者三年先人未祔于兆身迫當室緘未忘之哀參調求仕銓試超等補南和尉黜陟使以至行上聞授左龍武軍錄事因墜傷足樂正之憂愀然滿容以甥姪

婚仕爲念受署魯山令以痼疾不能趨拜故後長吏僉以客禮待之常獲盜未刑屬濱山之鄉稱猛獸爲害盜請於庭曰感明府慈仁願殺獸贖罪公哀而許焉僚佐堅請公無變慮乃從破械縱之盜果屍獸復命吏人老幼咨嗟震動發於庭宇播於四鄰則政化之行可知也公自幼居貧累服齊斬故不及親在而娶既孤之後單獨終身人或以絕後諭焉對曰兄有息男不曠先人之祀矣歷官俸祿悉以經營葬祭衣食孤遺代下之日柴車而返南遊陸渾考一畝之宅發八筍之直唯匹帛焉居無扃鑰牆藩之禁達生齊物從其所好時屬歉歲涉旬無煙彈琴讀書不改其樂好事者攜酒食以饋之陶陶然脫遺身世涵泳道德拔清塵而棲顥氣中古以降公無比焉知我或希晦而不耀故也是宜爲國老更論道佐世而羔鴈不至歿於空山可勝慟邪所著文章根玄極則道演寄情性則玄于思善人則禮咏多能而深則廣呉公子觀樂曠達而妙則現題窮於性命則蹇士賦可謂與古同轍自爲名家者也又

其惡萬金之藏鄙十卿之祿貴富之辯吾得其眞至哉元公越軼古今沖邃冥冥純朗朴渾範於生靈凡與門人吟慕遺風諡曰文行先生從古也夫誄德銘功厥義有三上以簡神明中以鋪光烈下以聳示後人斯文之作由此志也其銘曰

天地元醕降爲仁人隱耀韜精凝和葆神道心玄微消息詘伸載襲先猷竭盡報親貞玉白華不緇不磷縱翰祥風蛻跡泥塵今則已矣及吾無身仰德如在瞻賢靡因懷哉永思泣涕銘云

文粹卷弟六十九

文粹卷第六十九

文粹卷第七十

吳興 姚鉉 纂

銘五 總七首版文誄表附

命婦

賢母

隱居

唐息國夫人墓誌銘 并序

韓愈

貞元十五年靈州節度使御史大夫李公諱欒守邊有勞詔曰欒妻何氏可封息國夫人元和二年李公入爲戸部尚書薨夫人遂專家政公之男三人女二人而何氏出者二男一女夫人教養嫁娶如一雖門内親戚不覺有纖豪薄厚御僮僕使治居第生產皆有條序居卑尊閒無不順適命服在躬承祀孔時年若干元和七年甲子日南至以病卒明年八月庚寅葬河南河陽夫人曾祖某綏州刺史祖某潞州別駕父某晉州錄事參軍二男戡左威衛倉曹參軍成左清道率府錄事參軍女子嫁興元參軍鄭博古將葬戡與成以其事乞銘於其鄰韓愈愈爲銘曰

男主外事治不爲易施于其家難甚吏治又況公侯族大而貴夫人是專厥聲惟懿昔在貞元有錫自天啟封備服以疇時勳婉婉夫人有籍宮門克承其後以嫁以婚隨葬東土在河之陽遙望公墳而不同藏

唐河南元府君夫人滎陽鄭氏墓誌銘 并序

白居易

有唐元和元年九月十六日故中散大夫尚書比部郎中舒王府長史河南元府君諱寬夫人滎陽縣太君鄭氏年六十寢疾歿于萬年縣靖安里私第越明年二月十五日權祔于咸陽縣奉賢鄉洪瀆原從先姑之塋也夫人曾祖諱遠思官至鄭州刺史贈太常卿王父諱曦朝散大夫易州司馬父諱濟睦州刺史夫人即睦州次女也其出范陽盧氏外祖諱平子京兆府涇陽令夫人有四子二女長曰沂（一作耕）蔡州汝陽縣尉次曰秬京兆府萬年縣尉次曰積同州韓城縣尉次曰稹河南府河南縣尉長女適吳郡陸翰翰爲監察御史次女爲比丘尼名眞一二女不幸皆先夫人歿府君之爲比部也夫人始封滎陽縣君從夫貴也稹之爲拾遺也夫人進封滎陽縣太君從子貴也天下有五甲姓滎陽鄭氏居其一鄭之勳德官爵有國史在鄭之源派婚媾有家牒在比部府君世祿官政文行有故京兆尹鄭雲逵之誌在今所敘者但書夫人之事而已初夫人爲女時事父母以孝聞友兄姊睦弟妹以悌聞發自生知不由師訓其淑性有如此者夫人爲婦時元氏世食貧然以豐絜家祀傳爲詒燕之訓夫人每及時祭則終夜不寐煎和滌濯必躬親之雖隆暑沍寒之時而服勤親饋面無怠色其誠敬有如此者元氏鄭氏皆大族合而姻表滋多凡中外吉凶之禮有疑議者皆質於夫人夫人從而酌之靡不中禮其明達有如此者夫人爲母時府君既歿積與稹方齠齔家貧無師以授業夫人親執詩書誨而不倦四五年閒二子皆以通經入仕稹既第判入等授祕書省校書郎屬今天子始踐阼策三科以拔天下賢俊中第者凡十八人而稹冠其首焉由校書郎拜左拾遺不數月讜言直聲動于朝廷以是出爲河南尉長女既適陸氏陸氏有舅姑多姻族於是以順奉上以惠逮下二紀而歿婦道不衰内外六姻仰爲儀範非夫人恂恂孜孜善誘所至則曷能使子達於邦女宜其家哉其敎誨有如此者旣而諸子雖迭仕祿賜甚薄每至月給食時給衣

白居易

有唐元和元年九月十六日故中散大夫尚書比部郎中舒王府長史河南元君諱寬夫人滎陽縣太君鄭氏年六十寢疾歿于萬年縣靖安里私第越明年二月十五日權祔于咸陽縣奉賢鄉洪瀆原從先姑之塋也夫人曾祖諱遠思官至鄭州刺史贈太常卿王父諱鹵朝散大夫易州司馬父諱濟睦州刺史夫人即睦州次女也其出范陽盧氏外祖諱平子京兆府涇陽令夫人有四二女長曰沂一作蔡州汝陽縣尉次曰秬京兆府萬年縣尉次曰積同州韓城縣尉次曰稹河南府河南縣尉長女適吳郡陸翰翰為監察御史次女為比丘尼名真一二女不幸皆先夫人歿府君之為比部也夫人始封滎陽縣君從夫貴也稹之為拾遺也夫人進封滎陽縣太君從子貴也天下有五甲姓滎陽鄭氏居其一鄭之勳德官爵有國史在鄭之源派婚媾有家牒在比部府君世系官政文行有故京兆尹鄭雲逵之誌在今所敘者但書夫人之事

而已初夫人為女時事父母以孝聞友兄姊睦弟妹以悌聞發自生知不由師訓其淑性有如此者夫人為婦時元氏世食貧然以豐潔家祀傳為詩禮之訓夫人每及時祭則終夜不寐煎和滌濯必躬親之雖隆暑沍寒之時而服勤顏面無怠色其誠敬有如此者元氏鄭氏皆大族合而姻表滋多凡中外吉凶之禮有疑議者皆質於夫人夫人從而酌之靡不中禮其明達有如此者夫人為母時府君既沒積與稹方齠齔家貧無師以授業夫人親執詩書誨而不倦四五年間二子皆以通經入仕稹既第判入等授祕書省校書郎屬今天子始踐祚策三科以拔天下賢俊中第者凡十八人稹冠其首焉由校書郎拜左拾遺不數月讜言直聲動于朝廷以是出為河南尉長女既適陸氏陸氏有舅姑多姻族於是以順奉上以惠逮下一紀而歿婦道不虧內外六姻仰為儀範非夫人恂恂孜孜善誘所至則曷能使子達於邦女宜其家哉教誨有如此者既而諸子雖迭仕祿賜甚薄每至月給食時給衣

皆始自孤弱者次及疏賤者由是衣無常主廚無異膳親者悅疏者來故傭保乳母之類有涷餒垂白不忍去元氏之門者而況臧獲輩乎其仁愛有如此者自夫人母其家殆二十五年專用訓誡除去鞭扑常以正顏色訓諸女諸婦諸女諸婦其心戰兢如履于冰常以正詞氣誡諸子諸孫諸子諸孫其心愧恥若撻于市由是納下於少過致家於大和婢僕終歲不聞忿爭童孺成人不識檟楚閨門之內熙熙然如太古時人也其慈訓有如此者噫昔漆室緹縈之徒烈女也及爲婦則無聞伯宗梁鴻之妻哲婦也及爲母則無聞文伯孟氏之親賢母也爲女爲婦時亦無聞今夫人女美如此婦德又如此母儀又如此三者具美可以冠古今矣嗚呼推夫人之道移於他則何用而不臧乎若引而伸之可以肥一國焉則關雎鵲巢之化斯不遠矣若推而廣之可以肥天下焉則姜嫄文母之風斯不遠矣豈止於訓四子以聖善化一家於仁厚者哉居易不佞辱與夫人之幼子稹爲執友故聆夫人之美最熟稹泣

血號慕哀動他人託爲撰述書于墓石斯古孝子顯父母之志也嗚呼斯文之作豈直若是而已哉亦欲百代之下聞夫人之風覩夫人之墓使悍妻和臨母慈不遜之女順云爾銘曰

元和歲丁亥春咸陽道渭水濱云誰之墓鄭氏夫人

陶母墳版文 并序　舒元輿

常母之道恩勝威威不勝而常子之性偏以驕出由此也偏氣襲正正氣敗績故往往恩過驕過而閨門閒有觸命觝教磨去法用者相半古孟氏母警戒若此乃首以兼教軻三變而至於道去千年而陶之母亦以兼教侃侃還至於道慈容嚴嚴離立相望中央寂寥希吾或稀太歲在卯予帆彭蠡見謝靈運詩石壁東南行百步許有高墳嵯峨墳前有碑書跡照湖小子蹶起疾趍視之則陶母之字存及落帆上陸修式恪禮以爲父母教子大倫不逃義方然父之教主於兼之言恩威不偏勝偏失者或骨髓閒有秦吳之謬故州吁石厚變爲賊敵非父子邪且母之教偏在慈夫以兼

敎猶有嚮者之謬以偏敎而無嚮者之謬或鮮矣英英哲母煦然化成成之中而能敺其子歸其有極是以陶家肥而晉家亦肥鴻聲芬馥樸染他類肯使專司晨索家之兆到吾聽乎嗚呼賢母之風可以卓往赫來爲千萬年光墳版不書豈斯意邪徘徊聳慕龔成斯文詞曰

彭蠡之濱峨峨高墳有晉陶君哲太夫人前瞻千年卜孟爲鄰後千萬年卜誰爲鄰西江悠悠東湖滔滔彭蠡有竭斯墳更高

梓州射洪縣武東山陳居士墓銘 并序

陳子昂

君諱嗣字弘嗣其先陳國人也漢末淪喪八代祖祗（一作祉）自汝南仕蜀爲尙書令其後蜀爲晉所滅子孫避晉不仕居涪南武東山與唐胡白趙五姓置立新城郡剖制二縣而四姓宗之世爲郡長蕭齊之末有太平者兄弟三人爲郡豪傑梁武帝受禪網羅英豪拜太平爲新城郡守尋加本州別駕弟太樂太蒙蒙爲黎州長史

護督南梁二郡太守太樂爲本州司馬卽君之高祖父也生曾祖方慶好道不樂爲仕得墨子五行祕書隱于武東山生烈祖湯仕爲郡主簿遇梁季喪亂避世不仕生皇考迥迥早卒君卽迥之第二子也少孤而有純德恭己飾行一日三省家世本以清白崇德迨君之孤素業空矣君有仁兄養母以孝君克順至行同勤苦節夏不避暑冬不避寒蒸蒸服事行年四十有五入則孝出則悌謹而信汎愛衆而親仁無餘力也以是不優於道逮親終歿春秋已高從仕不可以養矣乃輟干祿之學修養生之道山巒高居農野永歲雅聞漢有王丹者放居不仕家累千金以自奉田稼勤者載酒從之鄉里承化以相懲沮乃歎曰彼王丹者是爲政也奚其爲爲政也由是始考林澤闢良田習山書務農政天道時變地道化成邱陵淵藪星歲雲物靡不用心原田苺苺黍稷漠漠汶陽之稼如雲矣春日載華歲聿其秋白露時降百穀收熟君嘗乘肩輿省農時饋田畯刑以肅墮悅以勞勤若孫吳之用兵鷙鳥之搏擊也

卓彼甫田歲取十千倉廩實崇禮節恤惸寡賑窮乏九族以親之鄉黨以歡之居十餘年家累千金矣其鄰里有媮衣食帶刀劒椎埋胠篋之類鬬雞走狗之豪莫不靡下風馴素節曰里有仁焉吾何從之也遂頓浮濫之節肅恭儉之規修孝悌飾廉恥將欲效君之素業也君時年已耳順素無經世之情林園遺老玄默忘歲遂保先君武東山之故居行不由徑非公事未嘗至於州縣也昔襄陽有龐德公谷口鄭子眞東海王霸西山蜀才皆避人養德退耕求志軒冕不可得而羈憂患不可得而累迨于我君作者五人矣於戲古者至人不利苟得不務近貴量腹而食度身而衣非其道萬鍾不足豐也非其榮五鼎不足餌也躬勤耕稼植其杖而耘不答子路之問者豈我君之徒歟緜緜羅網冥冥高鴻趯趯竹竿穆穆幽龍其與禍敗之遼絕如胡越哉然則兩龔不免於蘭焚三老不免於薇歎其近貴利邪夫上無憂悔下無飢寒含道以制嗜慾達命以順生死仁以愛身智以養德俾爾耆而艾俾爾昌而熾君子保之以永壽考非我君乎享年八十有五太歲壬辰五月十三日考終厥命臨終誡曰啟予手啟予足我聞古人有言珠玉而瘞之是暴骸於中原也古者不封不樹後代聖人易之以棺椁吾不違聖人具棺椁而已斂以常服墳無卯壠吾將庶幾以奉先人之清業也有子某等皆能祇奉遺訓聿從先志長壽二年龍集癸巳某月某朔日玄月載踰卜兆時吉始啟殯昭告奉遷於舊塋武東山之陽禮也鄉里會葬者千餘人皆涕泣號慕悲純德之不見感曰君子歿矣人何以名陵壑不朽匪惟頌聲小子不敏謹述鄉人之教其詞曰

肅肅我祖國始於陳中裔淪喪泊此江濱山川隆鬱旂鼎氤氳挺生君子於鑠元眞惟孝肅悌惟仁善鄰樂我耕稼忘我搢紳茫茫田藪歲也其春農人肅事君子犒勤孰爲夫子植杖而耘弋者何慕鴻冥高雲楚狂懼世夷叔求仁良時終矣不考于身我異於是非隱非淪撫化隨運安排屈伸天年既沒長夜何辰聖達不免宇

宙同塵桐棺三寸豈我寠貧自古有死吾從聖人嗟爾百代子子孫孫驕奢自咎天道無親思我松柏恭儉是遵

我府君有周居士文林郎陳公墓誌銘 并序

公諱元敬字某其先陳國人也五世祖太樂梁大同中爲新城郡司馬生高祖方慶方慶好道得墨子五行祕書白虎七變法遂隱於郡武東山生曾祖湯湯爲郡主簿湯生祖通通早卒生皇考辯爲郡豪傑公河目海口欽頤虎頭性英雄而志尚玄默羣書祕學無所不覽年弱冠早爲州閭所服耆長童幼見之若大賓二十二鄉貢明經擢第拜文林郎屬憂艱不仕潛道育德穆其清風邦人馴致如衆鳥之從鳳也時有決訟不取州郡之命而信公之言四方豪俊望風景附朝廷聞名或以爲西南大豪而不知深慈恭懿敬讓以得也州將縣長時或陳議青龍癸未唐厤云微公乃山棲絕穀放息人事餌雲母以怡其神居十八年玄圖大象無所不達嘗宴坐謂其嗣子子昂曰吾幽觀大運賢聖生有萌芽時發乃茂

不可以智力圖也氣同萬里而合不同造膝而悖古之合者百無一焉嗚呼昔堯與舜合舜與禹合天下得之四百餘年湯與伊尹合天下歸之五百年文王與太公合天下順之四百餘年幽厲板蕩天紀亂也賢聖不相逢老聃仲尼淪溺溷世不能自昌彌四百餘年戰國如糜至於赤龍赤龍之興四百年天紀復亂胡夷奔突賢聖淪亡至於今四百年矣天意其將周復乎於戲吾老矣汝其志之太歲己亥享年七十有四七月七日己未隱化于私宮孤子子昂愚昧鞠然在疚不知所從乃祇馴聖人卜宅之義是歲十月己酉遂開拭舊塋奉窆神於此山石仙谷之中岡也銘曰

不遭漢天子罔亦商邱之遺壤兮賢者避地邈其往兮鳳兮鳳兮誰能象兮嗚呼我君懷寶不試孰知其深廣兮悠悠白雲自怡養兮大運不齊聖賢罔兮南山四君

德先生誄 并序　李華

或問曰德先生者奚氏余曰南陽張姓有略其名維之其字也或

曰與古誰倫可蹤七十子乎余曰七十子或賢或恒人方於賢原思宓不齊比也或曰大哉余曰七十子親聖人之道者也維之追聖人之道者也七十子得聖人疆畛之際維之得聖人衣冠之潤向使獲親聖人則鱗差耕雍也或曰何咎而瞽余曰聖賢偕時故春秋之亂冉耕惡疾左卯明卜商皆瞽聖如夫子失司寇飢於陳蔡忠如萇弘謀尊王室而戮死君子道消故仁賢窮維之鄰道昌黎韓拯亦以德聞與維之同病不幸二子不以病爲僉不喪中明者也或曰夫如是得無誄之余誄之曰神胡病後之人而奪先生噫嘻哀夫德甫余將嚀兄

廣陵陳先生墓表

呂溫

有唐貞晦先生廣陵郡棠邑鄉陳君曰融無字享年七十有三遊不出鄉考終厥命嗚呼至哉艮玉雖白不受采醴泉自甘非有和貞色縝密丹青無自入也靈味天成麴糵無所資也故先生長而不學大樸不適乎輪轅至音不諧乎宫商曲直渾成巧匠莫能材也清濁一致伶倫莫能器也故先生老而不仕地虛而践則有跡器疏而扣則成聲我践惟實跡不可得而見也我扣惟密聲不可得而聞也故先生沒而不稱若夫爲養克孝居喪致毀事亡如存朋友孜孜兄弟怡怡於鄉恂恂與物熙熙天性人道其盡于茲何必讀書然後爲學知命是達怡神爲榮樂天忘憂自寵不驚貴我以道此非爵乎富我以德此非祿乎何必入官然後爲仕我有信順自天祐之我有正直神之聽之謂天蓋高亦既知矣謂神蓋幽亦既聞矣何必俗聲然後爲名大哉先生行不學之道據不仕之貴負不稱之名達人觀焉斯亦極矣粤貞元初寓居是邑言歸京國道出其鄉始見一鄉之人父義子孝長惠幼敬見乎詞氣發乎顏色不聞忿爭之聲不見傲慢之容雍雍穆穆甚足異也因揣之而歎曰芳蘭所生其草皆香美玉所積其山有光此鄉之人豈必盡仁其必有賢者生於是矣遂停車累日周訪故老果曰吾里嘗有陳融孝慈仁信不學不仕鄉人見之皆自欲遷善遠罪亦不知

其所以然今也則亡清風猶在予於是慨然痛先生以純德至行沈落光耀官闕式廬之禮士無表墓之文知而不書我執其咎乃披典校德謚曰貞晦先生窮徵其實建石于路用告將來之有識者云爾貞元五年秋八月東平呂溫述

文粹卷第七十

其所以然今追想亡者風猶在乎故是族淵然先生以舊諡字行

汎落光耀指闕式廬之禮上無表墓之文知而不書孰其咎歟

校典爲議諡曰貞曜先生將徵其實違于路用于游來有識

皆云爾貞元五年秋八月東平呂溫述

文粹卷第七十

文粹卷第七十一

吳興 姚鉉 纂

記一 總一十二首到難卅

宋武受命壇記

張謂

昔在王癸不道帝辛失德天命將改人心已去聖哲拯之厤數歸焉商湯所以革夏周武所以伐殷也至於太甲初放成王未長國步猶梗時屯尚虞忠賢處之名節存焉伊尹所以反正周公所以復嗣也元興之際義熙之間晉主中庸幸無桀紂之罪劉公大略遂有伊周之勳當其驅駕英雄芟夷僭僞南摧勁楚北破強燕電埽秦雍風清巴蜀三方爲我有四海爲己任誠能秉汾陽之志息漢陰之機牽率何劉同爲翊戴指撝徐傅共致雍熙則元皇建業之都至今享殷周之祚劉后豫章之地至今爲齊晉之國而近希

曹馬遠棄桓文禍徒及於兩朝福未盈於三載八葉傳其世嗣六君不以壽終漢氏寬仁屑緒成大族劉公殘暴子孫無遺種天之報施其明徵乎則知握元符升大寶禮義得之者難絕智力得之者易亡使成如宋齊無足稱者況敗如莽卓豈勝道哉後之人運屬陵夷業崇經濟周爰故地殷鑒在玆唐永泰元年二月二十五日建

風后八陣圖記　獨孤及

物不終靜必受之以動當純坤用事陰疑於陽則飛龍戰大朴已散聖盜並起故戎馬生乃有力吞八荒爭截九有大者天柱折地維絕小者作慝盧山負阻中冀上帝憫怒下民是恤乃眷武德黃帝受之始順殺氣以作兵法文昌以命將於是乎征不服討不庭其誰佐命曰元老風后蓋戎行之不修則師律用爽陰謀之不作則凶器何恃故天命聖者以廣戰術俾懸衡於未然察變於倚數握機制勝作為陣圖夫八宮之位正則數不愆神不忒故八其陣

所以定位也衡抗於外軸布於內風雲附其四維所以備物也虎張翼以進蛇向敵而蟠飛龍翔鳥上下其勢所以致用也至若疑兵以固其餘地游軍以按其後列門具將發然後合戰弛張則二廣迭舉犄角則四奇皆出必使陷堅陣拔深壘若星馳天旋雷動山破魏之鶴列鄭之魚麗周武之熊羆昆陽之虎豹出師以律我異於是既而圖成尊俎帝用經略北逐獯鬻南平蚩尤戡黎於阪泉肖方於崆峒底定萬國旁羅七耀鼎成龍至去而上僊於是遺風冥冥時亡而圖存焉於戲聖迹長往神機未昧酌其流者猶足以決勝三軍禦侮萬里故項籍得之以霸西楚黥布得之奄有九江漢孝武得之攘匈奴服甌越東收獩貊西拓大夏然則聖圖幽贊未始有涯天寶中客有為韜鈐者得其遺制於黃帝書之外篇裂素而圖之勝敗之朕在我指掌天地之心見於毫末議欲獻諸策府用廣武事會天子以不戰為師無為為寶則是圖也興於多難廢於升平堙淪不書盛德其沒乃旌諸圖側以為三皇之故事

六藝之餘伎云

女媧陵記　　喬潭

登黃龍古塞望洪河中流巋然獨存大浸不溺者媧皇陵也夫巨靈擘太華蹠首陽導河而東以洩憤怒雖有重邱大阜險狹之口罔不漱之爲黃壤汩之於旋波不可復振奔崩而下矣女媧氏巳然之後豁爾之衝天險東阨風濤鼓作乃能中乾外禦特立萬年其憑神可知也水無盈縮之度陵有高卑之常霖潦漲之兩涘沒矣於是乎不爲之小而就其深旱暵滲之孤嶼出矣於是乎不爲之大而就其淺非夫巨靈壯趾以固本河伯高肩以承隅胡然動靜如因其時升降不失其則羅浮二岳以風雨合離蓬萊五山以波潮上下不復故道遂違常流甚相遠矣君子曰夫能屠黑龍涸九州況乎一水之上而自爲謀夫能斷鼇足立四極況乎數仞之高而自爲力神人之易昧者難知窋遹山谷森羅物象莽莽蘆渚盌非止水之餘嶄嶄石林猶有補天之色搖演空曲精靈若存且夫上無積草表以孤樹常感風氣纖條悲鳴若冥應肸蠁鼓簧而吹笙由是憧憧往來無不加敬山有梅栗關吏羞焉水有菱芡舟人奠焉冢之木無或斬焉陵之土無或抔焉是則馨香已陳而樵蘇自禁矣故聖人取薄葬去厚送驪山之銀海魚燈虎邱之金精龍劒錮之其內散之其間適爲大盜之守未足藏身之固彼橋山帝邱九疑會稽皆因山而墳未聞其豬者余謂媧皇受命在火火以示水谷不爲陵開門負固日用其力不然其隙地豈必封崇乎是故觀而志之爲城冢後記

改修吳延陵季子廟記　　蕭定

有吳之興也泰伯讓以得之有吳之衰也季子讓以失之爲讓之情同而興衰之體異何哉泰伯之讓讓以賢也故周有天下而吳建國焉季子之讓賢以讓也當周德之衰而吳喪邦焉或曰非所讓而讓之使宗祀泯絕而不血食豈曰能賢斯可謂知存而不知亡者矣夫治亂時也興亡運也故至至而不可卻終終而不可留

黃河既濁阿膠無以正其色鹽池斯鹹弊箄不能匡其味與夫當
濁亂之世召力勝之戎讓與爭孰賢乎易曰知幾其神則季子之
見可謂知幾矣季子之明可謂知進退存亡而不失其正矣至於
聽樂辨列國之興亡審賢知世數之存沒掛劍示不言之信避國
保無欲之貞故有吳之祀寂寥而延陵之饗如在玄風可想至德
興歎美之辭哲人其萎表墓著嗚呼之篆向微德仁兩至則夫子
不復歎焉詳其精義被物鉤深致遠之旨烏可究其津涯而窺其
牆仞哉是知讓之爲德在於生靈不獨其子孫明矣國有祀典入
懷永思定忝列藩條欽崇懿範于以加敬嚴乎閟宮別閨壼之內
外正衆神之序位舊以泰伯之廟在於蘇臺而制季子之祠像設
東面非由典禮諒無取焉必也正名於是乎在祈報獻奠贄幣宜
列於軒廂春秋禮薦俎豆當陳於正寢俾觀像者識賢人之遺風
可律審度者知經德之禮秩無差末學陋辭不足頌其休烈寒來
暑往敢用同於紀年時大唐大厤十四年歲在己未八月戊戌朔

二十七日甲子記

晉東萊太守劉將軍廟記　許籌

將軍晉永嘉初守萊種德藝政萊人思之既歿諸劉將西扶葬洛
萊人曰我萊不降數萬家將軍子視我我父母戴之將軍於諸劉
天戚也於我人戚也天之戚也寡而邈人之戚也衆而邇安有捨
邇衆而歸邈寡哉敢以數萬家之命請於諸劉遂之於是散捧封
土趨持樹本既墳于此饗用春秋禱災徼福餘靈影響大中十一
年四月癸巳太守辛公肱去太守姚公瑨未臨籌以當道觀察支
使奏承空闕到郡之三日軍吏疏拜歷祠羣望即日將軍祠在郡
署之東端飭肅人乃見廟寢卑狹畫像凋暗既違有德豈謂祭恭
乃命押衙兼修造使李公霸度木戒工新此殿構想像塑繪居月
而成心非貿福者將使有德者垂昆無窮無德者警改操行萊人
受裕當稔于茲大中十一年五月二十三日記

縉雲縣城隍神記　李陽冰

城隍神祀典無之吳越有之風俗水旱疾疫必禱焉有唐乾元二年秋七月不雨八月旣望縉雲縣令李陽冰躬祈於神與神約曰五日不雨將焚其廟及期大雨合境告足具官與耆耋羣吏乃自西谷遷廟於山巔以荅神休

曲江池記

歐陽詹

水不注川者在藪澤則曰陂曰湖在苑囿則爲池爲沼苑之沼囿之池力鑿而成則多天然而有則寡茲池者其天然歟循原北峙迴岡旁轉圓環四币中成坎窞窐窌港洞生泉噏源東西三里而遙南北三里而近當天邑別卜緣垣未繞乃空山之灤曠野之湫然黃河作其左瀍清渭爲其後洫褒斜右走太一前横嵩山濬川鈎結蟠護不南不北湛然中渟西北有地平坦彌望五六十里而無窪坳紫蓋凝而不散黃旗鬱以常在實陶鈞之至造化之工沙汰一氣之辰財成六合之日旣以磽确外爲寰宇敞無垠堮以居億兆又選英精内爲區域東以襟帶用宅君長若人斯生支體具矣有心以繫其神焉若堂斯考廊廡設矣有室以處其尊焉彼如紫蓋黃旗之氣蓋陶鈞造化者用宅君長英精之所邪夫物苟相表裏製必同象泄夫外則廓以靈海導夫内則融乎此湫歷代帝王未得而有豈降巢室土之後聯綿千百之代建卜都邑不欲合夫天意而居乎將天意尙伺根深蔕固可與終畢者而命處乎故迴於有隋兆我皇唐之在孕詔其季主營之以須焉揆北辰以正方度南端而制極墉隍劃趾句陳定位地迴帝室湫成厥池旣由我署纔成伊去眞主巍巍龍蟠虎據爰自中而軌物取諸象以正名字曰曲江儀形也觀夫妙用在人豐功及物則總天府之津液疏皇居之墊隘潢汙入其洞澈銷涎滌以下澄汗虛隨其佳氣蕩鬱攸而上滅萬戸無重腿之患千門就爽塏之致其流惡含和厚生蠲疾有如此者皎晶如練清明若空俯睇沖融得渭北之飛鴈斜窺瀠泞見終南之片石珍木周庇奇花中縟重樓天矯以縈映危榭巉巖以輝燭芬芳蔭潛滉瀁電烻凝煙吐靄泛羽游鱗斐郁

郁以閒麗謐徽徽而清肅其涵虛抱景氣象澄鮮有如此者皇皇后辟振振都人遇良辰於令月就妙賞乎勝趣九重繡轂翼六龍而畢降千門錦帳同五侯以偕至泛菊則因高乎斷岸祓禊則就潔乎芳沚戲舟載酒或在中流清芬入襟沈昏以滌寒光眩目貞白以生絲竹駢羅緹綺交錯五色結章於下地八音成文於上空砰輷沸渭神仙奏鈞天於赤水黤䳡敷俞天人曳雲霓於玄都其洗慮延歡俾人怡懌有如此者至若嬉游以節宴賞有經則纖埃不動微波以寧熒熒渟渟瑞見祥形其或淫湎以情泛覽無斁則飄風暴振洪濤噴射崩騰駱驛妖生禍覿其棲神育靈興善懲惡有如此者某幸因受遣觀光上國身不佞而自棄日無名以多暇詢奇覽物得之於斯矚太始之玄造訪前聞於碩老天生地成之理識之於性情物儀人事之端徵之於耳目夫流惡含和厚生蠲疾則去陰之慝輔陽之德也涵虛抱景氣象澄鮮則藻飾神州芳榮帝宇也洗慮延歡俾人怡悅則致民樂土而安其志也棲神育靈興善懲惡則俗知所勸而重其教也號惟天邑非可謬創一山一水拳石草樹皆有所謂茲池者其有謂之雄焉意我皇唐須有此地以居之有此地須有此池以毗之佑至仁之亭毒贊無言之化育至矣哉以其廣狹而方於大則小矣以其淵洞而論夫深則淺矣而有功如彼有德若此代之君子蓋有知之而不述令民無得而稱焉輒粗陳其旨刊諸岸石庶元元荷日用之力也貞元五年歲在己巳夏五月十有五日記

太湖石記　白居易

古之達人皆有所嗜玄晏先生嗜書嵇中散嗜琴靖節先生嗜酒今丞相奇章公嗜石石無文無聲無臭無味與三物不同而公嗜之何也眾皆怪之走獨知之昔故友李生名約有云苟適吾意其用則多誠哉是言適意而已公之所嗜可知之矣公以司徒保釐河雒治家無珍產奉身無長物惟東城置一第南郭營一墅精葺宫宇慎擇賓客性不苟合居常寡徒游息之時與石為伍石有族

聚太湖爲甲羅浮天竺之徒次焉今公之所嗜者甲也先是公之僚吏多鎮守江湖知公之心惟石是好乃鉤深致遠獻瑰納奇四五年閒纍纍而至公於此物獨不廉讓東第南墅列而置之富哉石乎厥狀非一有盤拗秀出如靈邱鮮雲者有端儼挺立如眞官神人者有縝潤削成如珪瓚者有廉稜銳劌如劒戟者又有如虬如鳳若跧若動將翔將踊如鬼如獸若行若驟將攫將鬬風烈雨晦之夕洞穴開嗑若欲雲歕雷嶷嶷然有可望而畏之者煙霽景麗之旦巖崿霮䨴若拂嵐撲黛靄靄然有可狎而翫之者昏曉之交名狀不可撮要而言則三山五岳百洞千壑覼縷簇縮盡在其中百仞一拳千里一瞬坐而得之此所以爲公適意之用也嘗與公迫觀熟察相顧而言豈造物者有意於其閒乎將胚渾凝結偶然成功乎然而自一成不變已來不知幾千萬年或委海隅或淪湖底高者僅數仞重者殆千鈞一旦不鞭而來無脛而至爭奇騁怪爲公眼中之物公又待之如賓友親之如賢哲重之如寶玉愛之如兒孫不知精意有所召邪將尤物有所歸邪孰不爲而來邪必有以也石有大小其數四等以甲乙景丁品之每品有上中下各刻於石陰曰牛氏石甲之上景之中乙之下噫是石也百千載後散在天壤之內轉徙隱見誰復知之欲使將來與我同好者覩斯石覽斯文知公之嗜石之自會昌三年五月丁丑記

小邱西小石潭記　柳宗元

從小邱西行百二十步隔篁竹聞水聲如鳴佩環心樂之伐竹取道下見小潭水尤清洌泉石以爲底近岸卷石底以出爲坻爲嶼爲嵁爲巖青樹翠蔓蒙絡搖綴參差披拂潭中魚可百許頭皆若空游無所依日光下徹影布石上佁然不動俶爾遠逝往來翕忽似與游者相樂潭西南而望斗折蛇行明滅可見其岸勢犬牙差互不可知其源坐潭上四面竹樹環合寂寥無人淒神寒骨悄愴幽邃以其境過清不可久居乃記之而去同游者吳武陵龔古余弟宗玄隸而從者崔氏二小生曰恕己曰奉壹

乳穴記

石鍾乳餌之最良者也楚越之山多產焉于連于韶者獨名於世連之人告盡焉者五載矣以貢則買諸他部今刺史崔公至逾月穴人來以乳復告邦人悅是祥也雖然謠曰甿之熙熙崔公之來公化所徹土石蒙烈以爲不信起視乳穴穴人笑之曰是惡知所謂祥邪鄉吾以刺史之貪戾嗜利徒吾役而不吾貨也吾是以病而紿焉今吾刺史令明而志絜先賴而後力欺誣屛息信順休洽吾以是誠告焉且夫乳穴必在深山窮林冰雪之所儲豺虎之所廬由而入者觸昏霧扞龍蛇束火以知其物縻繩以志其返其勤若是出又不得吾直吾用是安得不以盡告今令而乃誠吾告故也何祥之爲士聞之曰謠者之祥也乃其所謂怪者也笑者之非祥也乃其所謂眞祥者也君子之祥也以政不以怪誠乎物而信乎道人樂用命熙熙然以效其力斯其爲政也而獨非祥也歟

到難　周夔

天子握乾符之六歲末秩臣羽皇客于南裔水浮溟波陸上青山或時晝短宿在林壑緜是嵐溪煙嶠之勝得湞陽之石室焉兩崖卷束勢合如屋屛顏百開開待朝旭峭然嵐壁宛矣偃躅羽容霓色霏遶瑤扃加以上戴霄峰中流晴溪碧瀾之下寸寸秋色若夫崆峒見月於半夜翠竇有雲於朝日乳枝凝斷而磬落松籟疏風而琴續不書其奇可知矣於戲斯室斯溪也與負古同出野夫樵子無日不到冠劍百族代誰知之使靈室煙霞寂漠無主竈山杷玉堂之會瑤池宴王母之觴彼何人邪秋九月有釋氏子智捷聞於聚落持律第一探得是室亟言於上谷侯君侯君名著字伯昭德門之裔也宰於湞陽蟹筐范綏之政行焉事歸條貫官有餘日初與三四賓客游焉既昇于室皆踞盤石注目峭絕壑形渠渠忽驚呀豁危起騰立背倚青壁久而不盥掬谿飲水稍稍神定噫乎古之王文考何平叔不值斯室也向使值之必爲之賦廣言磅礴洞蕩垂文雄傑則靈光景福不得獨豪矣大凡人間踼束難有

閒日瞻彼石室嗣予之到者誰耶上谷交親同僻舊山者京兆韋君長文時爲南郡曹掾手持密轄杳在蓮府緬昔泉石俱爲逸人張琴寫古以彈操語默不歌而飲酒簪纓軒冕浮雲也今日煙霞林壑思同甚難故舊室瑑壁顧余以到難命篇上以俟羣仙之降次將遲京兆之游些

京兆韋長文上谷侯著河南史傑清河崔存慶存範蘭陵蕭及上谷侯從直清河張君奭張甫釋澄雅智捷明則成文後一月瑑石又一月儒釋侶十四人同游立之

醉鄉記　王績

醉之鄉去中國不知其幾千里也其土曠然無涯無邱陵阪險其氣和平一揆無晦明寒暑其俗大同無邑居聚落其人甚精無愛憎喜怒吸風飲露不食五穀其寢于于其行徐徐與鳥獸魚鼈雜處不知有舟車器械之用昔者黄帝氏嘗獲游其都歸而杳然喪其天下以爲結繩之政已薄矣降及堯舜作爲千鍾百壺之獻因

姑射神人以假道蓋至其邊鄙終身太平禹湯立法禮繁樂雜數十代與醉鄉隔其臣羲和棄甲子而逃冀臻其鄉失路而道夭故天下遂不寧至乎末孫桀紂怒而昇其糟邱階級千仞南向而望卒不見醉鄉武王得志于世乃命公旦立酒人氏之職典司五齊拓土七千里僅與醉鄉達焉故三十年刑措不用下逮幽厲迄乎秦漢中國喪亂遂與醉鄉絶而臣下之愛道者往往竊至焉阮嗣宗陶淵明等十數人並游于醉鄉沒身不返死葬其壤中國以爲酒仙云嗟乎醉鄉氏之俗豈古華胥氏之國乎何其淳寂也如是今余將游焉故爲之記

文粹卷第七十一

吳興 姚鉉 纂

記二 總一十一首

府署

中書政事堂記

李華

政事堂者自武德已來常於門下省議事卽以議事之所謂之政事堂故長孫无忌起復授司空房玄齡起復授左僕射魏徵授太子太保皆知門下省事至高宗光宅元年裴炎自侍中除中書令執宰相筆乃移政事堂於中書省記曰政事堂者君不可以枉道於天反道於地覆道於社稷無道於黎元此堂得以議之臣不可悖道於君逆道於人黷道於貨亂道於刑剋一方之命變王者之制此堂得以移之兵不可以擅誅權不可以擅施貨不可以擅蓄王澤不可以擅奪君恩不可以擅閉私讎不可以擅報公爵不可以擅私此堂得以誅之事不可以輕入重罪不可以生入死法不可以剝害於人財不可以擅加於賦情不可以委之於倖亂不可以啟之於萌伐叛不賞爵叛不封聞荒不救見饉不矜逆諫自賢違道傷古此堂得以殺之故曰廟堂之上尊俎之前有兵有刑有

梃有刃有斧鉞有鴆毒有夷族有破家登此堂者得以行之故伊尹放太甲之不嗣周公逐管蔡之不義霍光廢昌邑之亂狄公正廬陵之位自君弱臣强之後宰相主生殺之柄天子掩九重之耳變理化爲權衡論思變成機務道變傾身禍敗不可勝數列國有傳青史有名可以爲終身之誡無罪記云

御史臺新造中書院記　　舒元輿

王者執生殺之柄造天下使百度順而已矣其或不順與順而不得其度者皆屬於御史府府之動靜爲朝廷紀綱之職與百司絶類蓋百司坐其署但專局而已矣入於朝與啟事於丞相府亦不出乎其位是以朝罷而各復其司以無事於朝堂與中書也若御史臺每朝會其長總領屬官謁於天子道路譁何之聲達于禁扉至含元殿西廡使朱衣從官傳呼促百官就班遲曉文武臣僚列於兩觀之下使監察御史二人立於東西朝堂甎道以監之雜人報點監者押百官由通乾觀象入宣政門及班于殿庭則左右巡

使二人分押於鍾鼓樓下若兩班就食於廊下則又分殿中侍御史一人爲之使以莅之内謁者承旨喚仗入東西閤門峨冠曳組者皆邐而進分監察御史二人立於紫宸屏下以監其出入鑪煙起天子負斧扆聽政自螭首龍墀南屬於文武班則侍御史一人盡得專彈舉不如法者由是吾府之屬得入殿内其職益繁其風益峻故大臣由公相已下皆屏氣竊息注萬目於吾曹吾曹坐南臺則綜覈天下之法立内朝則糾繩千官之失百司有滯疑之事皆就我而質故乘輿所在下馬成府釐朝廷之綱目與坐臺之判決者相半是以御史府故事於中書之南常有理所先時惟中丞得專寓於南舍一院若雜事與左右巡使則寓於西省小胥之廡下遇大朝會時吾屬皆來則坌憩於雜事巡使之地既寓於小胥則我實客也每亡事而去則主人必坌而入諠譁狠藉其態萬變向之霜棱盡爲澌涶矣豈吾君以天下綱紀屬之於我之意邪上元二年侍御史劉濡之作直廳記初拜儀云謝宰相訖向南入直

省院候端長又入中書儀云到直省院入門揖端公訖各就房鳴呼以御史之重以前時作者之記恬然以直省院爲記君子未嘗有非之者神羊之神何其翳而不光邪聖唐大和三年己酉歲天子擢尚書吏部郎中河南宇文公爲御史中丞詔下之日不仁者相弔御史府新例知雜事一人中丞得以選於廷臣河南公既拜之日上言請尚書司勳郎中琅琊王君以自輔識者曰河南琅琊同心異質之人也心苟同雖堅金可斷於御史乎何有他日雜事果以寓直省院爲歎迺議於中丞中丞深樂之卽時啟於中丞曰此前日之闕也中丞能爲之豈直柏署之光乎實羽儀吾府之多也皆佐其意事得聞於上上曰艮有是乎俞其請如響卽詔度支出錢百萬以資焉乃於政事堂直阡之南選地以作之中書之南實天下會計之地不容咫尺之隙非雄重清切之司於此豈容足乎我是以得規制爲之焉舊中丞院在西與西院相絕遂以其地易大京兆院合三院爲一東西四十六步南北四十步由東爲首

其一爲中丞其二爲雜事其三爲左右巡使若中丞升爲大夫改官不改院若三院畢朝集臺院附於雜事殿察附於巡使其名總號爲御史臺中書南院院門北闢以取其嚮朝廷也其制自中書南廊架南北爲軒入院門分東西廂爲拜揖折旋之地內外皆有廡蟠迴詰曲矚之盈盈然梁棟甚宏柱石甚偉椽欒粢梲麗而不華門牕戸牖華而不侈名木修篁奇葩秀實若升綠雲若編青簫以至于几案筆硯簾幌茵榻果邊若器皆新作也從官胥士役夫走馬勾稽案牘飲食休息之地皆得其所若百官之請事羣吏之參謁入吾門將祇伺於昇者見吾軒堂階闥之嚴固不俟戒而自肅爲此者何尊天子也吾府爲天子耳目宸居堂陛未有耳目聰明堂陛峻正而天子不尊也天子尊未有姦臣賊子而不滅也姦臣賊子盡滅矣可以自朝廷至于海隅蕩蕩然何所不理哉吾之作豈是志小者近者之心邪謹按高宗天皇大帝作大明宮將二百年矣當時有司經度曾不是思將以待我而作我之所以作益

前補二百年之遺事後貽千萬年之不朽搢紳觀者命爲御史北臺聞者謂之知言君子曰移中丞雜事今之心於大柄天下豈有遺事哉某備于僚屬得聞君子之論且承公命其記於是乎書乃題中丞雜事洎三院至主簿官封名氏於其後以爲一時之盛事

大和四年歲次庚戌八月十六日丁巳記

御史大夫壁記　李華

君以文明照臨百官官糾其邪職在邦憲由京師而端下國王化所繫不惟威刑御史大夫其任也用捨決於天心得失震於人聽舉直措枉果而不撓則公卿屛氣道路生風率其屬以正於朝瞻我衣冠不仁者遠苟異於是爲君子羞政之雄雌與德輕重故名公在位天下仰賴焉秦官有御史大夫在漢爲三公職副丞相丞相闕則大夫遷或名司空或名舊號史足徵也議大政必下丞相御史其廷署古曰府近曰臺其衣冠章綬品秩所視載於甲令聖朝臣唐虞高尚之賢內周漢不賓之俗登人於五福薦樂於九歌

帝德廣運而瑞草生天威震動而神羊至故柱石骨鯁之老更拜爲距義寧至先天登宰相者十二人以本官參政事者十三人故相任者四人藉威聲以棱徼外按戎律者八人官或改稱大司憲臺或分爲左右肅政罷置不恒從其宜也開元天寶中刑措不用元元休息由是務簡益重地清彌尊任難其人多舉勳德至宰輔者四人宰輔兼者二人故相任者一人兼節度者九人異姓封王者二人尊號加孝德之明年樂成公自尚書左丞兼文部選崇德也昭融禮經嗣續文雅張仲孝友山甫將明風度可以師長人倫動靜可以訓齊天下喬岳鎮定嘉量平均心爲百行之宗體備四時之氣雅有之曰文武吉甫萬邦爲憲樂成有焉至若教行於無訟之前慮辨於未萌之始未萌而慮則求煩不獲無訟而教則何用不減寬細瑕爲大體復故事爲新政小人畏法君子夷心無隱情於國家無愧辭於神道堂堂乎大雅之素也初廳壁列先政之名記而不敘公以爲艱難之選將俟後人謂華嘗備屬僚或知故

前補一百年之遺事後出十部[illegible]

[illegible]

大和四年歲次庚戌八月十八日丁巳記

[illegible]序

[illegible]撰

君以文明[illegible]

[illegible]

[illegible]

[illegible]天下[illegible]

[illegible]

國[illegible]

帝德廣運而[illegible]

爲[illegible]

相任者[illegible]

嘉[illegible]

元元[illegible]

者四人[illegible]

者二人[illegible]

也[illegible]

動[illegible]

持公之[illegible]

公之[illegible]

用[illegible]

情[illegible]

治定而不敘公以爲[illegible]

實授簡之恩至屬辭之藝寡無以允副非常之待所報者直質而少文天寶十四載六月十五日記

御史中丞壁記

皇帝受天明命垂五十年大道成俗黎民於變百官設而無事三辟存而不論振古未然也猶以爲成歲資于降霜律人本於持憲憲司之拜尤嚴名實王猷其遠乎夫察風俗平冤滯踣邪佞延俊賢云誰司之職惟御史御史亞長曰中丞貳大夫以領其屬士匄爲伯游之佐司馬乃介尹之偏古之制也漢儀大夫副丞相以備其闕參維國綱鮮臨府事故中丞專焉意者殄凶人之豪挾君子之道各行其志無所牽束行止與大臣絕位指顧則周行振聳政體宜之晉宋元魏以還無御史大夫由是中丞威望愈尊禮有加等如火烈烈如霜肅殺不可犯也屬時清無獄朝尚寬政行葦忠厚王化根源周室仁及草木而愷悌流乎頌聲漢文雅好黃老而公卿恥言人過舉盛德則儀形著矣焉用察察觖觖以恟生人哉

欲以此道行於軍旅故東西幕府皆兼大夫餘軍多假憲司之號聖皇之志也天寶中君臣於道德之間又新其化以尚書左丞張公爲大夫太府少卿庾公爲中丞天下翕然名教知勸大夫睦中丞也羽翮得清風之助中丞奉大夫也律呂本黃鍾之宮耆儒碩老罕云遇此盛矣二公中和備體沈潛經德易直且武溫文而清遵王路以整多方由夫身而貞百度此外盡餘事也古之制記者先諸德而後諸事至若命官之始省復之代名號冠綬之差祿秩位員之數辭尚體要況皆知之今不書省文也華昧學淺藝承命維谷羣言之首非所克堪然故吏也勉以酬德天寶十四載九月十日記

東都留臺石柱記　趙驊

天垂象聖人則之故星有執法職有持憲皆鐵冠繡衣直指不阿俾在位者肅如也日者天子在鎬庶官分守於是乎有留臺所以上至中司鶚峙都邑夫洛陽有明堂辟雍太倉武庫郊廟百祀邦

職百役有不如法得舉劾之至若密網峻威微文深詆衆所嚴憚愈於京師蓋由臨之者專也奉之者一也專則權有獨斷一則政無多門前達以之立名於此暨皇運中興與人休息雖風移代變煩簡則殊而舉直措枉典刑猶在殿中侍御史河東薛公朝之望也復修舊職凜然生風桼官漢儀斯不替矣乃篆石題記使人不遺聊紀於近庶昭厥德始自乾元歲掌留務者次而書之以垂于後大厤八年月日記

吏部員外郎南曹廳壁記 權德輿

漢朝尚書郎辨章制度主文書起草之任東漢方冠以曹名用諸曹功次超卓者轉遷選部魏晉已還其任寖劇國家紀律昭明官循其方凡薦紳之倫未命爲大夫者滿歲皆調於轂下啟事賦祿必先有司初上元中天官趙郡李敬玄號爲稱職以覆視官簿差次裁成端本肇末得不重煩乃請外郎一人顓南曹之任其後或詔同曹郎分主之或詔他曹郎權居之皆難其才而慎其舉也大

抵膺是命者多士必屬耳目焉以其公私能否之間不可過也以事之委會吏之奇衺因緣詭故中若市道居之者通則闊略守或刻深茍成績於是則翰飛不暇登二掖贊六職得之夷易疾若傳置太原王仲舒字弘中溫毅廉直清方敦實風槩姿材邁乎羣倫貞元十年冬繇諸侯部從事賢良對策歷左右諫列儀曹考功郎十八年實受斯命類能故也於是用心堅明忠恕循理官業程品具舉尤邃自絕然後以之質於冢宰小宰罷遣者不讟受祿者不誣恢恢然投其虛而鋩刃不頓君子以弘中之道爲折中矣昔春秋書上穀曰堪其事也魯語曰署所以朝夕虔君命也今因官署而舉事任春秋邱明之志也至若龍朔咸亨改復之說此皆不書

監祭使壁記 柳宗元

禮檀弓曰祭禮與其敬不足而禮有餘也不若禮不足而敬有餘也是必禮與敬皆足而後祭之義行焉周禮祭僕視祭祀有司百官之戒具誅其不敬者漢以侍御史監祠（按周禮至監祠二十六字從全唐文補入）唐

開元禮凡大祠若干中祠若干咸以御史監視祠官有不如儀者以聞其刻印移書則曰監祭使寶應中尤異其禮更號祠祭使俄復其初又凡制供祠之吏雖當齋戒得以決罰由是禮與敬無不足者聖人之於祭祀非必神之也蓋亦附之教爲事於天地者示有尊也不肅則無以教敬事於宗廟者示嚴孝也不肅則無以教愛事於有功烈者示報德也不肅則無以勸善凡肅之道自法制始奉法守制由御史出者也故將有事焉則祠部上其日吏部上其官奉制書以來告然後頒于有司以謹百事太常修其禮光祿合其物百工之役先一日咸至于祠而考閱焉御史會公卿有司執簡而臨之故其粢盛牲牢酒醴菜果之饌必實于庖廚鍾鼓笙竽琴瑟戛擊之樂簨簴綴兆之數必具于庭內樽彝罍洗俎豆醆斝之器必絜于壇堂之上奉奠之士贊禮之童樂工舞師洎執役而衛者咸列數其實設筵扑于堂下以修官刑而羣吏莫敢不備物羅奏牘于几上以嚴天憲而衆官莫敢不盡誠而祭之日先昇立于西階之上以待卒事其禮之周旋樂之節奏必周知之退而視其燔燎瘞埋終之以敬也居常則飭四方祀貢之物以時登于王府服器之修具祠宇之繕理牛羊毛滌之節三宮御廩之實畢備而聽命焉舊以監察御史之長居是職貞元十九年十二月御史多闕予班在三人之下進而領焉明年中山劉禹錫始復舊制由禮與敬以臨其人而官事益理制令有不宜于時者必復于上革而正之於是始爲記求簿書得爲是職者若干人書焉

祕書郎壁記　權德輿

按六典祕書郎四人從六品嘗分掌四部書以甲乙景丁爲之目昔漢武帝聚天下文籍於廣內謂之中祕書魏晉之際祕書與中書或分或合故云職近日月宜居三臺之上丞郎之任與南宮相亞歷代辨論與時輕重國初思漢廷延閣之制薄江左貴游之選始以岑江陵虞永興褚河南迭爲之厥後彬彬多文學之士然則先王之法志官師之訓典九流百氏如貫珠然學與仕皆優而還

相爲用者其在茲乎今年春滎陽鄭君具瞻自涇陽尉承詔授任鄭君質重而有敏行坦夷而含明識且今中書相君之介弟也方以結綬滿歲調於選部言吏資者積三遷而後至今超居之有以見擇賢審官與怡怡綽綽之道爲盡美矣在晉鄭默領中外三閣始刪煩文而朱紫不雜開元初君之王考潁川府君叔祖刑部府君皆繇禮官博士繼登其任諸父諸兄或解巾以司讎校或決科（一作功次）而登館殿（一作奉朝請）含章筮仕多在於斯猶桓公武公之代爲卿士蓋善於其職而宜之之義也謂鄙人嘗學舊史能知書府官業之所繇是俾編次郎位彰施屋壁時貞元庚辰歲秋七月記

四門助教壁記　柳宗元

周人置虞庠于四郊以養國老教冑子祭統曰天子設四學蓋其制也易傳太初篇曰天子旦入東學晝入南學夕入西學暮入北學蔡邕引之以定明堂之位焉大戴禮保傅篇曰帝入東學以貴仁入南學以貴德入西學以貴義入北學以尊爵賈生述之以明太子之教焉故曰爲大教之宮而四學具焉參明堂之政原大教之極其建置之道弘也後魏太和中立學于四門置助教二十人隋氏始隸于國子而降置五人皇朝始合于太學又省至三人員位彌簡其官尤難非儒之通者不列也四門學之制掌國之上士中士下士凡三等侯伯子男凡四等其子孫之爲冑子者及庶士庶人之子爲俊士者使執其業而居其次就師儒之官而考正焉助教之職佐博士以掌鼓篋榎楚之政分其人而教育之其有通經力學者必於歲之杪升於禮部聽簡試焉課生徒之進退必酌于中道非博雅莊敬之流固不得臨於是故有去而升于朝者賀祕書由是爲博士歸散騎由是爲左拾遺舊制與拾遺爲八品清官故必以名實者居於其位貞元中王化既成經籍少閒有司命太學之官頗以爲易專名譽好文章者咸恥爲學官至是河東柳立始以前進士求署茲職天水武儒衡閩中歐陽詹又繼之是歲四門助教凡三人皆文士京師以爲異余與立同祖於方興公與

武公同升於禮部與歐陽生同志於文四門助教署未嘗紀前人名氏余故爲之記而由夫三子者始

國學新修五經壁記 · 劉禹錫

初大厤中名儒張參爲國子司業始詳定五經書于論堂東西廂之壁辨齊魯之音取其宜考古今之文取其正繇是諸生之師心曲學偏聽臆說咸束而歸于大同揭揭高懸積六十載崩剝污黲澒然不鮮今天子尙文章尊典籍于苑囿不加尺椽而成均以治國學上言遽賜千萬時祭酒皡實尸之博士公肅實佐之國庠重嚴過者必軾遂以羨贏再新壁書懲前土塗不克以壽乃析堅木負墉而比之其製如版牘而高廣其平如粉澤而絜滑背施陰關使衆如一附離之際無迹可尋堂皇靚深兩屋相照申命國子能通法書者分章揆日懸其業而繕寫焉筆削既成讎校既精白黑彬班瞭然飛動以蒙來求煥若星辰以敬來趨肅如神明以疑來質決若蓍蔡由京師而風天下覃及九譯咸知宗師非止服縫掖者鑽仰而已于是學官陳師正等暨生徒凡四百二十有八人請金石刻且歌曰我有學宇既傾而成之我有壁經既昧而明之孰規模之孰發揮之祭酒維齊博士維韋俾我學徒弦詠以時切切祁祁不遨不嬉庶乎遒人來采我詩時余爲禮部郎凡贊宗之事得以關決故書之以移史官宜附于藝文志云

問國庠記 舒元輿

先王建太學法以教國胄子欲毆人歸義府也故設官區掌嚴大其事明公侯卿大夫必由是而出某既求售藝於闕下謂今之太學猶古之太學將欲觀焉自以爲下士小儒未嘗覩天子庠序欲往時先三日齋沐而後行行及門下脫蓋下車循牆而趨請於謁者曰吾欲觀禮於太學將每事問之於子可乎謁者許諾遂前導之初過於朱門門闥沈沈問曰此魯聖人之宮也遂拜之次至于西有高門門中有廈屋問之曰此論堂也予懼其鴻學方論不敢入導者曰此無人乃虛堂爾予惑之遂入見庭廣數畝盡墾爲圃

矣心益惑復問導者曰此老圃所宅子安得欺我邪導者曰此積年無儒論故庭化爲廢地久爲官於此者圃之非圃所宅也循廊升堂堂中無几榻有苔草沒地予立其上悽慘滿眼大不稱嚮之意復爲導者引又至一門問之曰此國子館也入其門其庭其堂如入論堂俄又歷至三館門問之曰廣文也太學也四門也入其門其庭其堂如國子其生徒去聖人之奧如堂館之蕪嗟乎詩書禮樂國之洪源也濬其源天下可以光潤窒其源天下爲之顦顇故唐堯知其如此亦先命廷臣典三禮教胄子誕敷文德於天下天下之屋皆可封及夏殷時其孟也則必能濬之其季也則皆自窒之自窒之時天下之屋皆可誅至周室有文武周公勃興而作復唐虞之道行七八百年而付仲尼承之孜孜日夜席不暇煖祖述之憲章之發於鄒魯張於洙泗上摩躪三光下垂之無窮其徒有入室者升堂者及門者散滿天下雖丁周季而天下姦臣賊子猶解曰周孔之教不敢妄動以此則文之教豈可須臾而弛邪至

嬴政犯之窒其源源未絕而已自絕於天下矣漢初纔息干戈復濬其源而後（一作伏）生公孫弘倪寬卜式之徒並出維持戰爭之漢二百年間無所失墜皆周公仲尼之力也國家用干戈取天下其道正於漢氏及闢儒宮立素王祠設學官命生徒崇盛館宇固亦不下漢氏然自寇生幽陵軍旅之事始勝俎豆故太學之道不得不衰涼今皇帝傳大寶七祀生獻吳濞蜀禪於郊廟梟夏逆首遐潞姦帥拔魏世家比用兩階之舞可謂至矣今溟澥無波兵器可以蒙之虎皮矣乃大修周公仲尼之道之時也而太學且猶衰涼之若此豈非有司之不供職邪羣公卿士之不留意邪不然何使巍巍國庠寂寞不聞回也賜也說釋道義之聲雖館宇雲合鞠爲荒圃可謂大國虛設以自欺也愚甚不取且懼周公仲尼之道沒墜於泉遂記其所荒之大略以喻有司

文粹卷弟七十二

文粹卷第七十三

吳興 姚鉉 纂

記三 總一十二首述州

府署

鄆州刺史廳壁記 馬總

唐受天脩命用古道理仁覆德載與二俉大弘煦丕冒與三並曜繼明嗣睿萬葉其始于十一聖聖謨熙載千祀其初于十四歲歲二月丁巳平巨寇復齊魯地三月己丑乃命臣總授節分閫撫安餘眾且理于鄆而觀察曹濮故荷皇澤來濯汙俗人既沐浴咸以絜清物無夭傷各遂性命不化化不楙楙感聖德也豈待守臣施諸政術而革訛止謬乎于以見周公太公之遺風仲尼之禮教有所不泯者焉何以言之先是元兇事猶未順惟此邦眾尚或率從及顯逆謀多不為用其所寵任皆亡命之徒與阜隸耳故義聲一呼厥眾咸應乃知斯人可與為順不可與為逆此其明驗歟夫州郡廳事之有壁記雖非古制而行之已久其所紀者不唯備遷授書名氏將以彰善識惡而勸戒存焉其土風物宜前政往績不俟

咨耆訪耋搜籍索圖一升斯堂皆可辨喻原兹邦域其來遠矣曰太昊之墟曰魯之須句曰漢之東平曰今之鄆州其地一也武德中爲總管府亦爲都督府而蔣曹戴濮兖五州隸焉貞觀初廢府復爲州八年始自鄆城移於是就高爽也自逆帥擾據罔率訓典改易昇降名稱溷淆蓋無取焉今以平寇之初魏博田公奉詔權兼勾當則位同正牧宜書爲首亦春秋始魯隱公賢之也其國初已來刺史名氏及遷改之次既遭蔑棄難以究詳訪諸史官異日備于東壁時聖曆元和紀號己亥直歲十二月己卯檢校禮部尚書兼鄆州刺史御史大夫馬總記

湖州刺史廳壁記　顧況

江表大郡吳興爲一夏屬揚州秦屬會稽漢屬吳郡吳爲吳興郡其野星紀其藪具區其貢橘柚纖縞茶紵其英靈所誕山澤所通舟車所會物土所產雄於楚越雖臨淄之富不若也其冠簪之盛漢晉已來敵天下三分之一其刺史沿革不同或稱太守或稱内

史或稱都督他州或否如魯史晉乘侯牧一也其鴻名大德在晉則顧府君祕祕子衆陸玩陸納謝安謝萬王羲之坦之獻之在宋則謝莊張永褚彥回在齊則王僧虔在梁則柳惲張譔在陳則吳明徹在隋則李德林國朝則周擇從令問也顏魯公忠烈也袁給事高讜正也劉員外全白文翰也洎于頔大夫作塘貯水溉田三千頃今使君詞是唐景皇帝七代之孫先公尚書先公大夫弈葉之勳有功於民公實嗣之孔悝銘鼎天下重器天王襃拔于公陟襄陽節度李公陟當道觀察統諸道鹽鐵轉運二牧既陟惟公盤桓鴻鵠不飛飛即摩漢其通者復其危者安其憂者泰所謂善繼於是拓郛穰萊就便除害政之餘力作消暑樓於南端復亭署於白蘋洲事興廢土光明敞豁湧出谿谷其舊記吏部李侍郎紓撰其圖經竟陵陸鴻漸撰使君命況總兩家之說俶落晉宋訖于我唐凡一百九十七人及歷代良二千石儀形略也鋪張扆壁設作存勸諫神告民春秋不朽之義也貞元十有五年十二月哉生魄

華陽山人顧況述

吉州刺史廳壁記　皇甫湜

自江而南吉為富州民朋吏囂分土艱政蓋以近歲適茲不幸紹繼無狀大官以降為者羞薄而不省務子弟以資授者侵欲而不顧法州遂瘡痍御史中丞張公歷刺縉雲尋陽用清白端正之治詔書寵襃賜以金紫移莅于吉下車之初視簿書簿書棼如絲視胥吏胥吏沸如麋召詰其官皆眊然如醒登進其民皆薾然而疲公噫眙良久於是大新其典為之開之以修省簡便鍵之以勤彊練密凡事從宜處約以躬率之省費一倍法防皦周銖兩之姦無所容疊俗斯息單民得職威令神行惠利川流未及再朞庶富而教至於無事百姓扶老提稚載路而歌曰昔吏詭詭今吏詹詹公能馭之鉛亦為銛跖亦為廉始紲而苦終優以恬昔民敫敫今民咍咍公能撫之鰥寡有怡流亡既來徭稅先具污萊盡開嚮覆官倉倉無斗糧公來幾時積粟埋梁嚮閱官庫庫無尺繒公來幾時山積層層瑞露溶溶降味公松瑞蓮猗猗合蔕公池公有異政神之祚之民歌路陲冀聞京師天子明聖恩光遠而於是掾吏將卒趨伏固請願書于公堂之北壁夫堂壁有記本以志善懲惡名氏遷次末也矧東西之舊則備今用紀編以首能為政垂為後式

道州刺史廳壁記　元結

天下太平方方千里之內生植齒類刺史能存亡休戚之天下兵興方千里之內能保黎庶能攘患難在刺史耳凡刺史若無文武才略若不清廉肅下若不明惠公直則一州生類皆受災害於戲自至此州見井邑卸墟生民幾盡試問其故不覺涕下前政刺史或有貪猥惛弱不分是非但以衣服飲食為事數年之閒蒼生蒙以私欲侵奪兼之公家驅迫非姦惡彊富殆無存者問之耆老前後刺史能恤養貧弱專守法令有徐公履道李公廙而已徧問諸公善或不及徐李二公惡有不堪說者故為此記與刺史作戒自置州已來諸公改授遷黜年月則舊記存焉

道州刺史廳後記　呂温

壁記非古也若冠綬命秩之差則有格令在山川風物之辨則有圖牒在所以爲之記者豈不欲述理道列賢不肖以訓于後庶中人已上得化其心焉代之作者率異於是或詞學名數或務攻爲文居官而自記者則媚已不居其官而代人記者則媚人春秋之旨盡委地矣賢二千石河南元結字次山自作道州刺史廳記既彰善而不黨亦指惡而不誣直舉胷臆用爲鑒戒昭昭吏師長在屋壁後之貪虐放肆以生人爲戲者獨不愧於心乎予自幼時讀古循吏傳慕其爲人以爲士大夫立名於代無以高此前年冬由尙書刑部郎中出爲此州雖履劇自課而未能逮其意也往刺史有許子良者輙移元次山記於北牖下而以其文代之後亦有時號君子之清者莅此熟視焉而莫之改豈是非之際如是其難乎予也魯安知其他卽命圬而書之俾復其舊且爲後記以廣次山之志云

濠州刺史劉公善政述　盧子駿

客有自濠梁來者余訊之曰濠梁之政何如客曰今刺史彭城劉公始受命至徐方與廉使約曰詔條節度團練兵鎭巡內州者悉以隸州今濠州未如詔條請如詔條廉使多稱軍須卒迫徵科若干不如期以軍法從事皆兩稅敕額外也自今請非詔敕不徵廉使曰諾濠州每年率供武寧軍將士糧一十萬石斗取耗一升送廉使州自取一升給他費吏因緣而姦盜則三倍矣自今請準倉部式外不入廉使曰諾劉公至止堅守不渝由是州無他門賦無橫斂人一知敎熙熙然如登春臺矣濠在戰國時爲楚地天文記今在牛斗分野楚俗好巫而信鬼死者其親戚不敢穿斸事葬相傳送立小屋號曰殯宮焉雖在城郭而爲之有土木墻壘棺櫬歸然者有棺櫬分坼骸骨縱橫者不獨庶人而士大夫之家有焉劉公惻然曰非禮也吾忍不導之邪下令曰某月有限限畢其家不闕地葬者笞二十鰥寡惸獨力不任者絶嗣無主傍無近親者刺

史以俸錢爲營之訖事人無犯令野無殯宮焉盧子曰異乎哉劉公今日能以禮導邪人且夫葬者藏也欲人之不得見也柰何宿昔濠之人不藏其父子昆弟邪又曰生事之以禮死葬之以禮柰何宿昔濠之人不以禮葬其父子昆弟邪又曰延陵季子葬其子仲尼觀之曰其坎深不至於泉其斂以時服柰何宿昔濠之人喪其父子昆弟不葬之於土中邪又曰魂氣歸于天形魄歸于地柰何宿昔濠之人不歸其父子昆弟之形于地邪今劉公教生者以禮示之日月信也恤死者以仁除其暴露義也合此而智以成之難乎哉余耳得客之言不浹旬適至濠上目覩其事秉筆者不載余懼夫識者譏焉劉公治郡嘉績長美詳舉則繁也亦取大遺小之義耳其書以備太史氏采錄焉

池州重建大廳壁記　竇潏

毗巢虞池之二年潏自平原郡得此郡其始至也無屋宇城壁之事無市井人物之類瓦骼凹凸相蓺雜視一之月檢訪鄉籍二之月完聚瘡痍三四月後病者起亡者歸瓦者投骼者揜明年春夏熟冬熟其歸者起者有風雨之備而江盜未息天租無寄故郡人有廨宇城壁之請既城壁焉則人得以避寇既廨署焉則物得以營帑鼓角器械廳堂簷廡自濠塹周于四隅其閒合建置者一無所闕木端鐵橫分別出入於戲自永泰至乾符戊戌歲是城也以李僕射爲祖自乾符至于中和癸卯歲是城也潏不敢讓勞其基趾始末存韓刺史裴晉公語中繼與幸蜀之四年冬是年王師始克宮闕

淮南節度行軍司馬廳壁記　李翰

司馬蓋古武之官號周官大司馬掌王之六軍將皆命卿諸侯大國三軍次國二軍小國一軍將亦命卿軍有司馬見于古矣周衰惟晉秉禮尊主屢因大蒐以正三軍鄢陵之役韓厥爲司馬雞澤之會魏絳爲司馬絳將新軍張老代之蓋今之行軍司馬出於周制矣秦罷侯鑠天下之兵列郡不復有軍軍司馬繇此廢矣漢制

將軍不常置四夷背誕旹命將征之趙充國以軍司馬從貳師班超以軍司馬從竇固討虜旹其職也自魏至周南北分王建置不同時方戰爭衆軍恒設凡將軍杖節鎭仍開府者以將軍開府居刺史者皆有其官隨將廢置隋開皇混一天下省罷衆軍司馬之官不專武事廢爲州吏員矣國家修唐虞大同之化庭周漢不賓之俗邊雖有防示不久設軍出於内謂之將鎭於外謂之使佐其職者謂之行軍司馬行軍司馬之職弼戎政掌武事居常習蒐狩之禮有役申戰陣之法凡軍之攻戰之備列于器械者辨其賢良凡軍之材食之用頒于卒乘者均其賜予合其軍書契之要比其軍符籍之伍賞罰得議號令得聞三軍以之聲氣行之哉雖主武益文之職也舊制朱衣銅印墨綬開元故事多選臺郎爲之淮南節度行軍司馬尚書戸部郎中兼侍御史王公以經邦緯俗之才佐淮夷方面之寄敦詩閲禮之學當節府大賢之舉政協乎邦要慮通乎事徼奉中權之旗鼓戒羣帥之鐃鐲師律既和軍容丕肅淮南之府有功宣王室身佩侯印將門良家藩國貴種以禮綏之則慕淮南之衆有吳楚銳士燕韓勁卒奇材劒客猨臂虯鬚以恩撫之則順淮南之地提封千里徵令百役稅以足食賦以足兵以寬征之則安淮南之衝南走閩越北通幽朔關梁不閉朝聘相望以歡交之則固自韋公統戎旅王公翼戎行威加於大則將不驕惠及於細則卒不惰減役輕斂則人不困待賓省旅則境不危堂堂然混一體以爲力雄雄然鼓衆心以爲氣封疆之外隱如敵國封疆之内不知有軍古人云懸蓺於上而下自定置器於平而物自安者蓋用是也茲所謂銷患於未形制危於未萌伐謀之功大於積甲山齊攻心之術强於虎賁百萬彼善師不陣未戰先勝卻軍於談笑之際折衝於樽俎之間今古一時也夫舉善人以行其教大則四海服小則邦國寍舜舉皋陶蠻夷率職帝王之事也秦任百里奚巴戎致貢諸侯之舉也國僑爲政乃子皮之功晉侯勤王信魏絳之力任賢用善合契同德盛府有爲翰獲庇於有禮之

俗遂安於無虞之境書績示後豈待命乎揚州本大都督府親王居中長史理人有府號而無兵甲至德初羯胡難作始以長史為節度而有行軍司馬古者敬其事則命以始乃自初置列敘之于壁云大厤五祀夏五月丁丑記

徐泗豪三州節度掌書記廳壁記　韓愈

書記之任亦難矣元戎總齊三軍之事統理所部之甿以鎮定邦國贊天子施教化而又外與賓客四鄰交其朝覲聘問慰薦祭祀祈祝之文與所部之政三軍之號令升黜凡文辭之事皆出書記非閎辯通敏兼人之才莫宜居之然皆元戎自辟然後命於天子苟其帥之不文則其所辟或不當亦其理宜也南陽公自御史大夫豪壽廬三州觀察使授節移鎮徐州歷十二年而掌記者凡三人其一人曰高陽許孟容入仕于王朝今為尚書禮部郎中其一人曰京兆杜兼今為尚書禮部員外郎觀察判官其一人曰隴西李博自前鄉貢進士授祕書省校書郎今方為之南陽公文章稱

天下其所辟實所謂閎辯通敏兼人之才者也後之人苟未知南陽公之文章吾請觀於三君子苟未知三君子之文章吾請觀於南陽公可知矣蔚乎其相扶炳乎其相輝志同而氣合魚川泳而鳥雲飛也愈樂是賓主之相得也故請刻石以紀而陷置于壁間俾來者得以觀覽焉

江州司馬廳壁記　白居易

自武德已來庶官以便宜制事大攝小重侵輕郡守之職總於諸侯帥郡佐之職移於部從事故自五大都督府至于上中下郡司馬之事盡去唯員與俸在凡內外文武官左遷右移者第居之凡執役事上與給事於省寺軍府者遙署之凡仕久資高耄昏軟弱不任事而時不忍棄者實蒞之蒞之者進不課其能退不殿其不能才不才一也若有人蓄器貯用急於兼濟者居之雖一日不樂若有人養志忘名安於獨善者處之雖終身無悶官不官繫乎時也適不適在乎人也江州左匡廬右江湖土高氣清富有佳境刺

史守土臣不可遠觀游羣吏執事官不暇自暇佚惟司馬綽綽可從容於山水詩酒間由是郡南樓山北樓水溢亭百花亭風篁石巖瀑布廬宮源潭洞東西二林寺泉石松雪司馬盡有之矣苟有志於吏隱者捨此官何求焉按唐典上州司馬秩五品歲廩數百石月俸六七萬官足以庇身食足以給家州民康非司馬功郡政壞非司馬罪無言責無事憂噫爲國謀則尸素之尤蠹者爲身謀則祿仕之優穩者余佐是郡行四年矣其心休休如一日二日何哉識時知命而已又安知後之司馬不有與吾同志者乎因書所得以告來者時元和十三年七月八日題記

吉州廬陵縣令廳壁記　　皇甫湜

在易之爻二與四同功其善不同二多譽四多懼四之多懼以近君也今州之近縣當刺史理所其難爲與支縣相百宜矣哉廬陵戶餘二萬有地三百餘里駢山貫江扼嶺之衝材竹鐵石之贍殖苞篚韗緝之富聚土沃多稼散粒荆揚故官人率以貪敗令曰爾趨州衙退祗承錄判將校事之紛錯牽相關臨煩言易生凡事難專故愈不理近年百姓創罷徵賦發斷其人益訛與處險易以亡匿尤輕犯禁夫以不專之理理益訛之俗承積弊之餘雖使季冉復生將不能也今清河張君儇爲之理適得良二千石俾顓其政繁決劇以通敏彈豪糾黠以沈斷清白之操較然絕類便安之謠流而遠聞宜舉其卓卓以敦沮勸縣之故習令將至邑佐發斂盛粻緡具車航千里迎拜君以讓卻之單航赴官則吏皆廉縣之故習令始至取官羨物益備器用團鄉次役以供芻粟君以法喻之一切禁絕則民知恥布其大信推以至誠促嚴吏家慰懲民戶故秋夏之稅先期而集宥過以容不逮獎能以勸不修爲魁而萃頑者取一以警百故政刑之簡朞月而治以俸錢葬枯而恩洽以家飲救渴而澤周萼合兄弟之析居者而民以養鬻復老弱之流庸者而疆以實和氣潛通連歲大穰庭內閒閒似密與蒲余既堙厄

斥置於此始來而弘農楊君敬之具爲余話君美談既接益入得實其聞乃刻山石鑱廳壁盛之以觀永久

同州韓城縣西尉廳壁記　歐陽詹

說文曰尉畏也亦慰也主也故字從尸示寸寸者寸量禮度以敬上示者示陳教令以諭下尸者典職司以居位敬上所謂畏諭下所謂慰居位所謂主全茲三者以涖王爵則仕義周是以古之人嘉用尉字爲官號陶唐有太尉周有軍尉秦亦有太尉與尉東南尉洎漢則復命縣掾曰尉自是以名至于我唐無或易所命善也我唐極天啟宇窮地闢土列縣出于五千分爲七等第一曰赤次赤曰畿次畿曰望次望曰緊次緊曰上次上曰中次中曰下赤縣僅二十萬年爲之最畿縣僅于百渭南爲之最望縣出于百鄭縣爲之最緊縣出于百夏陽爲之最上縣僅三百韓城爲之最上之最次于緊之最非最之緊無與焉緊之最次于望之最非最之望無與焉望之最次于畿之最非最之畿無與焉畿之最次于赤之最非最之赤無與焉最之縣長於餘縣如麟鳳五靈之長於羣靈也數長不數類則韓城之稱與萬年渭南鄭縣夏陽並自緊而上簿尉皆再命三命已往而授資歷至之而至也上縣而下則自解褐授韓城既上縣之最簿尉解褐之貴者唯三員伺其闕非年年有之或一員之闕天下皆知之授之日亦皆知之曰某人授韓城尉是其人則頌非其人則誹雖一命之官其爲人尙也如此則主司愼擇才地精美縣亦有六曹尉二人一判功戶倉其署曰東廳一判兵法士其署曰西廳茲廳兵法士之廳也根之州則司兵司法司士盡在形之國即兵部刑部工部盡在兵主武法主刑士主工今武未大成務尙緊刑未大措獄尙生工與人興無時休州縣司或雙曹六人分其職國則部屬僚八九十人分其職一人理六人八九十人之理雖小大有異而揔緒不殊其緒不殊其官不易能至於易者則人無敢易之人無敢易之則國必重之國重之則踐賤一作洪鈞大柄所由乎此也貞元十五年春余友人滎陽鄭伯

亦寘於此始來而以貴陽君故又且爲余話君美談所接於人謂實其間乃刻山石鐫麗蓋盛之以鑒永人

同州韓城縣西尉廳壁記　歐陽詹

說文曰尉具也亦尉主也故字從尸示寸寸者法度以從上示者示陳教令以諭下尸者職司以居位在上所謂諭所謂尉居位所謂主令茲三者以衛王爵則非設周是以古之人尉爲周尉字爲官號蓋與有大尉有眞尉秦亦有尉興尉東南我稍漢大則復命縣掾曰尉自是以迄于我唐無改易所命善也赤曰畿次曰望次曰緊次曰上次曰中次曰下赤縣尙一十萬年爲之最畿縣僅于百謂南爲之最望縣由于百縣爲之最緊縣于百夏最爲之最上縣達三百韓城爲之最上之最大于緊之最非最之緊無與焉緊之最次于緊之最非最之縣無之最與高緊之最次于緊之最非最之緊無與焉緊之最次于赤之最非最之赤無與焉最之縣長於餘縣川縣鳳五靈之厦多華也數長不敢預則韓城之稱與萬年同而赤畿縣良陟迹自累而上遷尉皆可命三命已往而授資歷至之而後也上縣而下則自解褐授韓城既上縣之尉爲尉之貴者惟三員同其闕非年有之政一員之闕天下皆知之授之日亦皆知之曰某人授韓城尉是其人則頌非其人則謗一命之官其爲人尙也如此則主司慣擇大地精美縣亦合置尉二人一判功戶倉其曹曰東廳一判兵法士其曹曰西廳茲廳兵法士之廳也根之州則司兵司法司士盡在其所之國則兵部刑部工部盡在兵主武法主刑士主工今武未大戢務尙繁刑未大措獄尙多士工與人興雖時休刑縣同政雙曹六人分其職國則部屬實八九十人分其職一人理六人八九十人之理雖小大有異而於諸不殊其緒不殊其官不易能至於易者則人無敢易之則國必重之國重之則既一作其給大柄所由乎此也貞元十五年春余友人歐陽衡伯

義授焉鄭自上累葉聲名爲天下聞鄭以明經登科又三舉進士屈於命辭學亦流輩推内行第一其受命之年五月余詣焉十月又詣焉見東廳有記西廳無記因請書示本廳姓氏序于左其或先于鄭芳馨猶存者亦得之至于鄭皆繫若譜土壤廣狹物產有無尉非得主不敢僭序十月十五日記

文粹卷第七十三

義授焉鄭自上舉業著名為天下聞鄉以明經登科又三舉進士
風校命鄭學亦滿章捕內行第一其受命之年五月余語言十月
又詔諸見東廳有記西廳無記因請書示末廳姓氏序于左其政
先于鄭君齋甫行者亦得之至于鄭君督遺譜士撰讀候物遺有
無尉非得士不敢備序十月十五日記

文粹卷第七十三

文粹卷弟七十四

吳興　姚鉉　纂

記四　總一十七首

堂樓亭閣

虢州三堂記

呂溫

應龍乘風雲作雷雨退必蟠蟄以全其力君子役智能統機劇退必晏息以全其性力全則神化無窮性全則精用不竭深山大澤其所以蟠蟄乎高齋清池其所以晏息乎虢州三堂者君子晏息之境也開元初天子思二南之風並選宗英共持理柄虢大而近匪親不居時惟五王出入相授承平易理迩政多暇考卜惟勝作爲三堂三者明臣子在三之節堂者勵宗室克構之義豈徒造適

實亦垂訓居德樂善何其盛哉然當時漢同家人魯用王禮棟宇制度非諸侯居後刺史馬君錫因其積隧始革基構豐而不侈約而不陋以琴樽詩書之幽素易綺紈鍾鼓之繁喧雖林池煙景不讓他日觀其廣踰百畝深入重扃迴塘屈盤沓島交映溟渤轉於環堵蓬萊起於中庭浩然天成孰曰智及春之日眾木花坼岸鋪島織沈浮照耀其水五色於是乎襲馨擷奇方舟逶迤樂魚時翻飄蘂雪飛泝沿環迴隱映差池咫尺迷路不知所歸此則武陵仙源未足以極幽絕也夏之日石寒水清松密竹深大柳起風甘棠垂陰於是乎濯纓漣漪解帶升堂畏景火雲隔林無光虛甍沈沈皓壁如霜弱扇不搖南軒清涼此則楚襄蘭臺未足以滌炎鬱也秋之日金飈埽林蓊鬱洞開太華爽氣出關而來於是乎弦琴端居景物廓如月委皓素水涵空虛鳥驚寒沙露滴高梧境隨夜深疑與世殊此則庾公西樓未足以澹神慮也冬之日同雲千里大雪盈尺四眺無路三堂虛白於是乎置酒褰帷凭軒倚檻瑤階如銀玉樹羅生日暮天霽雲開月明水泉潺潺終夜有聲此則子猷山陰未足以暢吟嘯也於戲不離軒冕而踐夷曠之域不出戶庭而獲江海之心趣近懸解跡同大隱序閱四時之勝節宣六氣之和貴而居之可謂厚矣若知其身既安而思所以安人其性既適而思所以適物不以自樂而忽鰥寡之苦不以自逸而忘稼穡之勤能推是心以惠境內則良二千石也方今人亦勞止上思乂息州郡之選重如庭臣由是南陽張公輟揮翰之任受剖符之寄遊刃而理此焉坐嘯靜政令若水木全戶民如魚鳥馴致其道闇然日彰小子以通家之愛獲拜牀下且齒諸子侍坐于三堂見知惟文不敢無述捧筆避席請書堂陰俾後之人知此堂非止燕遊亦可以觀清淨為政之道

廬山草堂記

白居易

匡廬奇秀甲天下山山北峰曰香鑪峰北寺曰遺愛寺介峰寺閒其境勝絕又甲廬山元和十一年秋太原人白樂天見而愛之若

[illegible]

廬山草堂記　　白居易

匡廬奇秀甲天下山山北峰曰香爐峰北寺曰遺愛寺介峰寺間
其境勝絕又甲廬山元和十一年秋太原人白樂天見而愛之若

遠行客過故鄉戀戀不能去因面峰腋寺作爲草堂明年春草堂成三間兩柱二室四牖廣袤豐殺一稱心力洞北戶來陰風防徂暑也敞南甍納陽日虞祁寒也木斲而已不加丹牆圬而已不加白礎階用石冪窗用紙竹簾紵幃率稱是焉堂中設木榻四素屏二漆琴一張儒道佛書各兩三卷樂天既來爲主仰觀山俯聽泉旁睨竹樹雲石自辰及酉應接不暇俄而物誘氣隨外適內和一宿體寧再宿心恬三宿後頹然嗒然不知其然而然自問其故荅曰是居也前有平地輪廣十丈中有平臺半平地臺南有方池倍平臺環池多山竹野卉池中生白蓮白魚又南抵石澗夾澗有古松老杉大僅十人圍高不知幾百尺修柯戛雲低枝拂潭如幢豎如蓋張如龍蛇走松下多灌叢蘿蔦葉蔓駢織承翳日月光不到地盛夏風氣如八九月時下鋪白石爲出入道堂北五步據層崖積石嵌空垤塊雜木異草蓋覆其上綠陰蒙蒙朱實離離不識其名四時一色又有飛泉植茗就以烹燀好事者見可以永日堂東

有瀑布水懸三尺瀉階隅落石渠昏曉如練色夜中如環佩琴筑聲堂西倚北崖右趾以剖竹架空引崖上泉脈分綫懸自簷注砌纍纍如貫珠霏微如雨露滴瀝飄灑隨風遠去其四旁耳目杖屨可及者春有錦繡谷花夏有石門澗雲秋有虎谿月冬有鑪峰雪陰晴顯晦昏旦含吐千變萬狀不可殫紀覼縷而言故云甲廬山者噫凡人豐一屋華一簣而起居其間尚不免有驕穩之態今我爲是物主物至致知各以類至又安得不外適內和體寧心恬哉昔永遠宗雷輩十八人同入此山老死不返去我千載我知其心以是哉矧余自思從幼迨老若白屋若朱門凡所止雖一日二日聊覆簣土爲臺聚拳石爲山環斗水爲池其喜山水病癖如此一旦蹇剝來佐江郡郡守以優容撫我廬山以靈勝待我是天與我時地與我所卒獲所好又何求焉尚以冗員所羈餘累未盡或往或來未遑寧處待余異日弟妹婚嫁畢司馬歲秩滿出處行止得以自遂則必左手引妻子右手抱琴書終老於斯以成就我平生

遠行客過故鄉戀戀不能去因面峯腋寺作爲草堂明年春草堂成三間兩柱二室四牖廣袤豐殺一稱心力洞北戶來陰風防徂暑也敞南甍納陽日虞祁寒也木斫而已不加丹牆圬而已不加白砌階用石冪窗用紙竹簾紵幃率稱是焉堂中設木榻四素屏二漆琴一張儒道佛書各三兩卷樂天既來爲主仰觀山俯聽泉旁睨竹樹雲石自辰及酉應接不暇俄而物誘氣隨外適內和一宿體寧再宿心恬三宿後頹然嗒然不知其然而然自問其故答曰是居也前有平地輪廣十丈中有平臺半平地臺南有方池倍平臺環池多山竹野卉池中生白蓮白魚又南抵石澗夾澗有古松老杉大僅十人圍高不知幾百尺修柯戛雲低枝拂潭如幢豎如蓋張如龍蛇走松下多灌叢蘿蔦葉蔓駢織承翳日月光不到地盛夏風氣如八九月時下鋪白石爲出入道堂北五步據層崖積石嵌空垤堄雜木異草蓋覆其上綠陰蒙蒙朱實離離不識其名四時一色又有飛泉植茗就以烹燀好事者見可以永日堂東有瀑布水懸三尺瀉階隅落石渠昏曉如練色夜中如環珮琴筑聲堂西倚北崖右趾以剖竹架空引崖上泉脈分線懸自簷注砌纍纍如貫珠霏微如雨露滴瀝飄灑隨風遠去其四傍耳目杖屨可及者春有錦繡谷花夏有石門澗雲秋有虎溪月冬有爐峯雪陰晴顯晦昏旦含吐千變萬狀不可殫記覼縷而言故云甲廬山者噫凡人豐一屋華一簀而起居其間尚不免有驕穩之態今我爲是物主物至致知各以類至又安得不外適內和體寧心恬哉昔永遠宗雷輩十八人同入此山老死不返去我千載我知其心以是哉矧予自思從幼迨老若白屬若黑屬凡所止雖一日二日輒覆簣土爲臺聚拳石爲山環斗水爲池其喜山水病癖如此一旦蹇剝來佐江郡郡守以優容而撫我廬山以靈勝待我是天與我時地與我所卒獲所好又何以求焉尚以冗員所羈餘累未盡或往或來未遑寧處待余異日弟妹婚嫁畢司馬歲秩滿出處行止得

之志清泉白石實聞此言時三月二十七日始居新堂四月九日與河南元集虛范陽張允中南陽張深之東西二林長老湊公朗滿晦堅等凡二十有二人具齋施茶果以樂之因爲草堂記

尉遲長史草堂記　李翰

吾友晉陵郡丞河南尉遲緒節闊達志遐遠含和而不假修推誠而不詭行外若可渾其中甚清外如可雜其中甚靜夫求賢達之趣當考其中若然夫子其達者歟而境或超詣心或獨得飄飄然不知冠冕之在己浩浩然不知天地之爲大其冥機慎道迹繫心曠人或未覩吾能知之大厤四年夏乃以俸錢搆草堂于郡城之南求其志也材不斷全其樸牆不彫分其素然而規制宏敞清泠含風可以卻暑而生白矣後有小山曲池窈窕幽徑枕倚于高墉前有芳樹珍卉嬋娟修竹隔閡于中扉由外而入宛若壺中由內而出始若人間其幽邃有如此者夫子又有雄辭奧學潤色其事階上何有有羣書萬卷階下何有有空林一瓢非道統名儒不登此堂非素琴香茗不入茲室是知草堂之貴夫子之靜天下茫茫人未易悉吾與夫子昔同賓賦三十四年于茲矣吾則棄於世矣歎夫子下位每求其故而有疑焉今觀夫子之志乃鄰於道寥寥草堂自致之資書於壁微吾奚俟其歲秋八月乙丑朔記

盧郎中齋居記　李華

鴻鵠遡清風淩顥氣翱翔自得於冥冥之閒故虞衡矰繳不能爲患甘芻豐秣羈縶駿驥首冠鋑鍚身被纓纕力方盛也騁於康逵及其殆也困於鞭策由是智者高鴻鵠而卑駿驥豈妄而論之哉今凶渠假息五兵未偃廟堂有風力之臣征鎭皆方召之老則仁人靜士戢伏自持各其志也尙書左司郎中嗣漁陽公盧振字子厚奉世德而聿修之味道風而遊泳之處于九江南郭荒榛之下不貽害於身不假力於人夷堆坲竇窒穽尋尺無遺材草木不移植書堂齋亭成於指顧高松茂篠森於門巷晏然燕居勝自我得君子出則行其志也公以瑚璉之器爲郎官以干將之斷宰赤縣

君子入則養其身也公就鴻鵠之冥冥捨駿驥之馳騁況大江在下名山當目嘉賓時來攜手長望可以頤神養壽暢其天和浴乎沂風乎舞雩吾與點也詩陽僑舊推仁人焉推智者焉廣德二年四月五日趙郡李華云

廬陵所居竹室記

房千里

凡天地之氣煦嫗乎春曦彤乎夏淒乎秋而冽乎冬楚之南當冬而且曦燕之北當夏而且冽是皆不得氣之中正人之百骸上陽而下陰陽戒於燬故膏肓欲寒陰戒於溺故腎膓欲燠人之外好欲軒冕文采以爲榮似若動且陽焉人之內好欲寡慮恬默以爲泰似若靜且陰焉其門外欲肥馬大車以爲熱者其室內欲虛堂廣廈以爲清者果反是必爲災且妖且病且亂且窮矣天地之氣當夏而冽當冬而曦其歲時懸人之百骸上陽而不能寒下陰而不能煦其彤神療外飾文采不能動且榮而必慊其病躁內思恬默不能靜且泰而必汨其志亂門外淒淒而寒者室內彤彤而熱者其事窮予三年夏待罪于廬陵其環堵所棲者率用竹以結其四周植者爲柱楣撐者爲榱桷破者爲霤削者爲障曰者爲樞筬者爲纆絡而籠土者爲級橫而格縉空者爲梁方大暑火烘爆霤坼壞若墜于鑪若燎于原舌呀而不能持支隳而不自運赫赫燄燄如列千萬炬于室內視其門外寂寥虛閒若淸秋之山焉若寒浦之波焉予乃知嚮所謂天地之氣人之百骸與其心形之內外居室之寒燠反是果爲妖且災且病且亂且窮也今予方窮不能奮果窮也其處于是亦宜矣天地之氣不能易者也鄒子有吹律之變人之死生不可制者也俞扁有鍼砭之術是二者尤不可革且有道而革之今予室之職予門之寒予亦姑思其治之之道將熱其廬而斬其工其能永永以爍予書其辭于壁

西軒記

柳宗元

永貞中余名在黨人不容於尚書省出爲邵州道貶永州司馬至則無以爲居寓龍興寺西序之下余知釋氏之道且久固所願也

然余所庇之屋甚隱蔽其戸北向居昧昧也寺之居於是州爲高西序之西屬當大江之流江之外山谷林麓甚衆於是鑿西墉以爲戸戸之外爲軒以臨羣木之杪無所不矚焉不徙席不運几而得大觀夫室嚮者之室也席與几嚮者之處也嚮也昧而今也顯豈異物邪因悟夫佛之道可以轉惑見爲眞智即羣迷爲正覺捨大闇爲光明夫性豈異物邪孰能爲余鑿大昏之墉闢靈照之戸廣應物之軒者吾將與爲徒遂書爲二其一志諸戸外其一以貽巽上人焉

書宣州疊嶂樓　　獨孤霖

郡地四出皆卑卽阜以垣故於樓爲易而賦名必著其當正據扉亦雄眄睨侈由是繚步逾千方目相瞪則壯邦麗廨之勳慊在第一繁絲機羅錯卉障錦春以融獨峰楺雲雙波屹風暑以澄曉黛嚬入夕蟾娟來秋以揚雲併半空冰偏一岸冬以明此槩舉爾觀縷不盡也然而月話方狎觴酢始酣則防城健卒籌二而環警緒至越(活)筵走(奏)榻彙呼(去)族譟雖黃度展和不能不憮而數嚮之歷舉四美悉估而倍之不足贖矣予春至逮秋偶步池北得小亭之直上居然最勝因命植棟闢梁出城屋之脊周方數閒小亭如初而中與諸樓相差者自爲一地其上則朗出高際平與空等嚮所謂越譟者不復遊慮則其四美不俟說而聞不假到而見非聞非見其然也始聞始見其嚮之未必然也且聞且見而今之所以然也嚮既舉槩今不可默夫北望條風淸暑之流皆偏擅攸戲莫全厥美或能伸左臂或睇右目或獨全正面總而有諸則我無許斯又不聞不見而以其然爲然矣郡以谿山著名而谿小負則疊嶂之命爲宜至於欄干蹋道沙子門戸等咸有曲旨成於新致舉之則縷將煩於槩故抑之而中地亦晦而不彰咸通十二年十二月辛亥宣州刺史獨孤霖書

李白酒樓記　　沈光

有唐咸通辛巳歲正月壬午吳興沈光過任城題李白酒樓夫觸

强者覥緬而不發乘險者帖薾而不進潰毒者隱忍而不能就其鍼砭搏猛者持疑而不能盡其膽勇而復視其强者弱之險者夷之毒者甘之猛者柔之信乎酒之作於人也如是翰林李公太白聰明才韻至今爲天下唱首業術匡救天必賦之矣致其君如古帝王進其臣如古藥石揮直刃以血其邪者推義轂以蘋其正者豈憑酒而作也憑酒而作者强非眞勇太白旣以峭訐矯時之狀不得大用流斥齊魯眼明耳聰恐貽顚踣故狎弄杯觴沈溺麴糵耳一淫雅目混黑白或酒醒神健視聽銳發振筆著紙乃以聰明移於月露風雲使之涓潔飛動移於草木禽魚使之妍茂騫擲移於邊情閨思使之壯氣激人離情溢目移於幽巖邃谷使之遼歷物外爽人精魄移於車馬弓矢悲憤酣歌使之馳騁決發如睨幽幷而失意放懷盡見窮通焉嗚虖太白觸文之强乘文之險潰文之毒搏文之猛而作狎弄杯觴沈溺麴糵是眞棄其聰翳其明醒則移於賦詠宜乎醉而生醉而死余徐思之使太白疏其聰決其明移於行事强犯時忌其不得醉而死生也當時骨鯁忠赤遞有其人收其逸才萃於太白至于齊魯結構淩雲者有限獨斯樓也廣不逾數席瓦缺椽蠹雖樵兒牧豎過亦指之曰李白常醉于此矣

新修滕王閣記　韓愈

愈少時則聞江南多登臨之美而滕王閣獨爲第一有瑰偉絕特之稱及得三王所爲序賦記等（王勃作游閣序王緒作賦今中丞王公爲從事日作修閣記並選在閣）壯其文辭益欲往一觀而讀之以忘吾憂繫官于朝願莫之遂十四年以言事斥守揭陽便道取疾以至海上又不得過南昌而觀所謂滕王閣者其冬以天子進大號加恩區內移刺袁州袁於南昌爲屬邑私喜幸自以爲當得躬詣大府受約束於下執事及其無事且還儻得一至其處竊寄目償所願焉至州之七月詔以中書舍人太原王公爲御史中丞觀察江南西道洪江饒虔吉信撫袁悉屬治所八州之人前所不便及所願欲而不得者公至之

日皆罷行之大者驛聞小者立變春施秋殺陽開陰閉令修於庭戶數日之間而人自得於湖山千里之外吾雖欲出意見論利害聽命於幕下而吾州乃無一事可假而行者又安得舍己所事以勤館人則滕王閣又無因而至焉其歲九月人吏浹和公與監軍使燕于此閣文武賓士皆與在席酒半合詞言曰此屋不修且壞前公爲從事此邦適治新之公所爲文實書在壁今三十年而公來爲邦伯適及期月公又來燕于此公烏得無情哉公應曰諾於是棟楹梁桷板檻之腐黑撓折者易新之蓋瓦級甎之故缺者赤白之漫漶不鮮者治之則已無侈前人無廢後觀工既訖功公以衆飲而賞焉以書命愈曰子其爲我記之愈既以未得造觀爲歎竊喜載名其上辭列三王之次有榮耀焉乃不辭而承公命其江山之好登望之樂雖老矣如獲從公游尚能爲公賦之元和十五年十月某日袁州刺史韓愈記

蘭谿縣靈隱寺東峰新亭記　馮宿

東陽實會稽西部之郡蘭谿實東陽西鄙之邑歲在戊寅天官署洪君少卿以爲之宰君之始至則用信待物用勤集事信故人阜勤故公濟未期月而其政成後三年夏六月余過其邑洪君導余以邑之勝賞於是乎有東峰亭之游背城之闉半里而近初屆佛刹刹之上方而亭在焉松門蓋空石道如帶足倦累息然後造夫極焉向之池隍館宇之多旗亭闤闠之喧途道往來之衆簿書鞅掌之繁顧步之餘忽焉如失但山風颼颼嶺雲峩峩飛軒憑虛洞壑在下向背殊狀昏明易色指遙青而點黛者問之則曰某山某巖某林某墅指遠白而曳練者問之則曰某洲某渚某湫某塘高深互呈心目相競飄若象外意其幻成余既諧其私爰究其本先是邑微登攀遊觀之所洪君曾是挈俸錢二萬經斯營斯因地於山因材於林因工於子來因時於農隙又何易也崇山濬谷佳境勝概縣亘伏匿一朝發朗又何能也君在建中興元之間爲江南西道節度曹王所知時方軍興賊冦壓境供億倉卒賦平人和王

實賴之故御史大夫鄭滑節度盧公羣與君嘗同寮每號之曰精金百鍊良驥千里誠矣然則是邑之埋茲亭之勝於君之分不爲難能夫播芳塵而鼓餘波者非文莫可遂攬筆爲記刋于石而附諸地志焉

燕喜亭記　韓愈

太原王弘中在連州與學佛之人景常元慧遊異日從二人者行於其居之後邱荒之間上高而望得異處焉斬茅而嘉樹列發石而清泉激輦糞壤燔椔翳卻立而視之出者突然成邱陷者呀然成谷窪者爲池而缺者爲洞若有鬼神異物陰來相之自是弘中與二人者晨往而夕忘歸焉乃立屋以禦風雨寒暑既成愈請名之其邱曰俟德之邱蔽於古而顯於今有俟時之道也其石谷曰謙受之谷瀑曰振鷺之瀑谷言德瀑言容也其土谷曰黃金之谷瀑曰秩秩之瀑谷言容瀑言德也洞曰寒居之洞志其入時也池曰君子之池虛以鍾其美盈以出其惡也泉之源曰天澤之泉出高而施下也合而言之以屋曰燕喜之亭取詩所謂魯侯燕喜者頌也於是州民之老聞而相與觀焉曰吾州之山水名於天下然而無與燕喜者比經營於其側者相接也而莫直其地凡天作而地藏之以遺其人乎弘中自吏部郎貶秩而來次其道途所經自藍田入商洛涉淅湍臨漢水升峴首以望方城出荊門下岷江過洞庭上湘水行衡山之下繇郴踰嶺猨狖所家魚龍所宮極幽遐瓌詭之觀宜其於山水飫聞而厭見也今其意乃若不足傳曰智者樂水仁者樂山弘中之德與其所好可謂協矣智以謀之仁以居之吾知其去是而羽儀於天朝也不遠矣遂刻石以記

白蘋亭記　李直方

新作白蘋亭書時且志政也梁太守柳惲賦詩於始因以名洲今邦伯李公成室於終茲用目亭度乎事則位均考乎地則境同合美配德古今相望亭之時義至矣吳江之南震澤之陰曰湖州幅員千里棋布九邑卞山屈盤而爲之鎮五谿叢流以導其氣其土

沃其候清其人壽其風信實公之始至也用恭寬明恕以懷之敬事脊罰以勸之賦令之先必度其物宜而咨于前訓故居者逸亡者旋或蹈境而留或聆聲而遷提封之內無榛灌繩墨之下無姦傲既而外邑多材郡不能渫公命懸諸善價俾代常傜於是乎幽巖之巨木斯出積歲之逋租必入公家受其利山氓蒙其惠繇是白蘋之制經矣洲在郡城南東亂霅谿而即爲白沙如浮流波環之前有大野繇雲繚以萬峰後有名都壓水駢以千室邑居可望而喧埃不及空水交映而雲天在下造物之工若有私於是爲茭菰叢生鳧鶴朋游嘉名雖曜清境或棄公於是相隰爽之宜立卑高之程據洲之陽揆日之正揭大亭一焉修廊雙注北距于霅浮軒瞰流峩小亭二焉大可以施筵席小可以容宴豆凡棟宇之法輪奐之美銛刮密石用成翬飛施宏壯而有度備彤紫而不踰內則庭除朗絜彌望鋪雪曲沼透迤以中貫飛梁夭矯而對起紫桂翠篁辛黃木蘭碧枝丹實蛇走珠綴鮮飇暗起縈葉振蘂落英飄

飄灑空浮水天目神池之上多不名之卉洞庭水府之下產怪狀之石嶙峋乎玉容葳蕤乎瑤芳眾榮偶植羅列布濩外則差（初宜反）以白蘋間之紅葉川與天遠百里如組邦君之來肅肅旆旌綵舟徐移魚躍鳥鳴亭成之日三吳之賢大夫集焉公用鼓鍾羽籥以落之然后使臣之臨重客之來獲游是者怳乎有遺區之歎則爲邦之成績作亭之良規參合二美游揚四海坐馳而逝與廢置偕矧蘋之爲用風有季女之奠騷有放臣之望夫以澗谿之賤微而可充王公之殷薦是故君子重之今扶贊勝賞也如彼哲賢咏歌也如此則是亭憑眺之外又有傳經之道焉若乃乘農隙之暇時購武夫之羨功廛閭不煩財用不屈揚昔人之休烈垂不朽之遐觀咨其刱物之智有以加人不如是烏能及此已卯歲冬十月予將浮淛河上會稽淩縉雲觀赤城道出公之仁宇目覽亭之崇構舉書其實合春秋傳信之經後之人無視十洲孟浪之說而沒其誼云

頴亭記　　陳寬

頴水濱有地可以覽山川之秀者九山祠在焉西北（按北字下疑有奪譌）隅予升之見頴水直北劈地而來砉如隙光端如匣劍視若中而使人毛磔又見太室與大隗等列領羣峰而來崒屹不得進蹭蹬卻倚三十六嶠若立指焉而近北左手煙雲草樹濃淡覆露各盡其態平視之令人意遠超超然若萬里之鶴也予曰可樹亭哉遂召匠氏授以程度匠氏曰諾退而有言曰假吾介不德主未聞惠人未蒙仁止未幾而遽以庥覽爲懷乎（按此下疑有奪譌）予聞之甚羞而以爲不聞也夫陽翟自頴陽達許昌皆漢郡頴川屬是乃吾土也予不肖假長于此雖獲戾于人而不避者吾將識其來乎及成會邑中彥髦以落之中宴客有舉爵而稱曰吾斯山河之秀可與覘首爭請名之頴亭遂名之若使解攜手值良辰嘉賓二三殺酒綴進既揖既抗對之畣酬因書石以介其壁俾覽者徵之當敏樹政無敏樹亭以釣匠氏之意也唐大中庚午歲三月九日丁亥攝陽翟縣令陳寬記

泉州二公亭記　　歐陽詹

勝屋曰亭優爲之名也古者創棟宇纔禦風雨從時適體未盡其要則夏寢冬室春臺秋戶寒暑酷受不能自減降及中古乃有樓觀臺榭異於平居所以便春夏而陶堙鬱也樓則重構功用倍也觀亦再成勤勞厚也臺煩版築榭加欄檻暢耳目達神氣就則就矣量其材力實猶有蠹近代襲古增妙者更作爲亭亭也者藉之於人則與樓觀臺榭同制之於人則與樓觀臺榭殊無重構再成之縻費加版築欄檻之可處事約而用博賢人君子多建之皆選諸勝境今年暮春月邦牧安定席公別駕[illegible]同正員前相國天水姜公念玆邦川逼溟渤山連蒼梧炎氛時迴濕[illegible]多來又日臨胃次斗建辰位和氣將徂畏景方至月令云可以升山陵可以居高明蓋謂是月況地理卑埤而不擇爽塏以豁夫汙鬱乎因問風俗相原隰郭東里所共得奇阜高不至崇卑不至夷形勢廣袤四隅

若一含之以澄湖萬頃揖之以危峰千嶺點圓水之心當奔崖之前如鏡之紐狀鼇之首二公止旋輿以迴睇假漁舟而上陟幕煙茵草翫懌移日心謀意籌有建亭之算而未之言也二公既歸邑人踵公遊於斯者如市登中隆觀媚麗前來後至異口同辭曰昔漢帝不曰百姓安其田里而無愁怨之聲者其由良二千石乎是謂政平教成時和境清使俗泰而民以寧者也虞書不曰股肱良哉庶事康哉是謂翼帝藩皇調陰序陽使物阜而民以昌者也席公今日之化育吾徒是以寧美公昔歲之弼諧吾徒是以昌且以之寧又以之昌愷悌君子也詩云愷悌君子民之父母二公者眞吾父母矣茲皐二公攸選徇而加愛務休訟簡必復斯至上露下蕪忍令父母憩之乎遂偕發言爲公就亭之功如牆而前陳誠于縣尹縣尹允其請而爲之辨方經蹠環當上頂誠畚訓簡以授子來於是家有餘力圃有餘木或掬一抔土焉或翦一枝材焉一心百身蜂還蟻往榛莽可去以自薙瓦甓無脛而奔萃一之日斤斧之功畢二之日圬墁之傭息再晨而成二公莫知層梁亘以中豁飛甍翼而四翥東西南北方不殊致糊白墳以呈素雘頹壞而垂繪通以虹橋綴以綺樹華而非侈儉而不陋煙水交浮巖巒疊迴精舍奉其旁達都城企其遐際容影光彩漪入瀾澄指朱軒於潭底閱雲岑乎波裏潢潢油演如飛若動又釣人飄飄於左右游禽出沒乎前後一眄一睞千趣萬態稅息之者若在蓬壺方丈之上二公重清曠於舊賞納衷懇乎羣庶尋幽探異常於斯勞賓祖客常於斯加以平疇開闢通途在下可以觀耕耨可以采謳謠作一亭而衆美具噫天造茲皐其固與人爲亭歟不然何不遠郛郭而博敞詭秀之若此非常之地意待非常之人故越千萬祀而至二公方覩也邑人相之復言曰事無隱義物有正名地爲二公而見亭從二公而建斯亭也可署曰二公亭雖芻蕘之云其實有謂二公不忽遂以爲號小子藝忝于文曾觀光上國去之日歷越遊吳歸之晨踰荆泛漢會稽之蘭亭姑蘇之華亭襄陽峴首豫章湖中

皆古今稱爲佳境或棟宇猶在或基址未沒山川物象徧得而覽方之於此遠有慚德懿哉二公智周德厚卜地如此感民若彼且非飾說入吾邑者升吾亭者知之古之製器物造宮室咸有銘頌以昭其義斯亭也豈無斆古而爲之章句者小子薄劣不敢議其事粗述其旨始爲之記兼借二公之名紀于左以爲邦榮在位賓寮亦以次序從公而列貞元九年三月二十五日記

零陵萬石亭記　柳宗元

御史中丞清河男崔公來涖永州閒日登城北墉臨于荒野叢翳之隙見怪石特出度其下必有殊勝步自西門以求其墟伐竹披奧敧側以入緜谷跨谿皆大石林立渙若奔雲錯若置碁怒者虎鬬企者鳥厲抉其穴則鼻口相呀搜其根則蹄股交峙環行睇目疑若搏噬於是刳闢朽壤翦焚榛薉決澮溝導伏流散爲疏林洄爲清池寥廓泓渟若造物者始判清濁效奇於茲地非人力也乃立游亭以宅厥中亭之西石若掖分可以眺望其下青壁斗絕沈

于淵源莫究其極自下而望則合爲攢巒與山無窮明日州邑耋老雜然而至曰吾儕生是州藝是野眉尨齒鯢未嘗知此豈天墜地出設茲神物以彰我公之德歟既賀而請名公曰是石之數不可知也以其多而命之曰萬石亭耋老又言曰懿夫公之名亭也豈專狀物而已哉公嘗六爲二千石既贏其數然而有道之士咸恨公之嘉績未洽于人敢頌休聲祝公于明神漢之三公秩號萬石我公之德宜受茲錫漢有純臣惟萬石君我公之化始于閨門道合于古祐之自天野夫獻辭公壽萬年宗元嘗以牋奏隸尚書敢專筆削以附零陵故事元和十年正月五日記

沔州秋興亭記　賈至

在陽而舒在陰而慘性之常也履險而慄涉夷而泰情之變也觀揖讓而退覩交戰而競目之感也聞韶頀而和聆鄭衛而靡耳之動也夫其舒則治慘則悴慄則止泰則逝退則無咎競則有悔和則安樂靡則憂危性情耳目優劣若此故君子愼居處謹視聽焉

沔州刺史賈載吾家之良也理沔州未期月而政和於訟堂之西因高構宇不出庭戶在雲霄矣仰負大別之固俯視滄海之浸閱吳蜀樓船之般鑒荆衡藪澤之大自公退食游焉息焉圖書在左翰墨在右鳴琴洋洋亦有旨酒性得情適耳虛目開且處動則倦理倦莫若靜處靜則明惟明以理動窮則變變則通通則久今沔州靈府恬而神用爽政是以和觀其前戶後牖順開闔之義簡也上棟下宇無彫琢之飾儉也簡近於智儉近於仁仁智居之何陋之有況乎當發生之晨則攢秀木於高砌見鶯其鳴矣處臺榭之月則納清風於洞戶見暑之徂矣泊搖落之時則俯顥氣於軒檻見火之流矣值嚴凝之節則棲同雲於扃闥見雪之紛矣政成頌清體安心逸而詩人之興常在四時四時之興秋興最高因以命亭焉予自巴邱徵赴宣室歇鞍棠樹之側解帶竹林之下嘉其俛仰美其動息乃命進牘抽毫以志之

郢州孟亭記　皮日休

明皇世章句之風大得建安體論者推李翰林杜工部為尤介其間能不愧者惟吾鄉之孟先生也先生之作遇景入詠不拘奇抉異令齷齪束人口者涵涵然有干霄之興若公輸氏當巧而不巧者也北齊美蕭慤有芙蓉露下落楊柳月中疏先生則有微雲澹河漢疏雨滴梧桐樂府美王融晌霽沙嶼明風動甘泉濁先生則有氣蒸雲夢澤波撼岳陽城謝朓之詩句精者有露溼寒塘草月映清淮流先生則有荷風送香氣竹露滴清響此與古人爭勝於豪釐間也他稱是者眾不可悉數嗚呼先生之道復何言耶謂乎貧則天爵于身謂乎死則不朽於文為士之道亦以至矣先生襄陽人也日休襄陽人也既慕其名亦覩其貌蓋仲尼思文王則嗜昌歜七十子思仲尼則師有若吾於先生見之矣說者曰王右丞筆先生貌于郢之亭每有觀型之志（亭在刺史治所）四年滎陽鄭公誠刺是州余將抵江南艤舟而詣之果以文見貴則先生之貌縱視矣先是亭之名取先生之諱（舊名浩然亭）公曰焉有賢者之名為趨厮走

養朝夕言於刺史前邪命易之以先生姓（今改爲孟亭）日休時在宴因曰春秋書紀季公子友仲孫湫字者貴之也故書名曰貶書字曰貴況以賢者名署于亭乎君子是以知公樂善之深也百祀之弊一朝而去（百祀謂開元至今）則民之弊也去之可知矣見善不書非聖人之志宴豆既撤立而爲文咸通四年四月三日記

文粹卷第七十四

義朝文言於制史而綸命易之以先生姓今孟子也日林特在俊図
日春秋書紀季入公子文仲孫狐寧者貴之也故書名日服責子日
責況以賢者名書于亭子若干是以知公樂善之深也自記之弊
一朝而去亭注孤今記聞則民之弊也夫之可知矣見善不書非聖人
之志實豆頗撕立而為文戚通四年四月三日記

文粹卷第七十四

文粹卷第七十五

吳興　姚鉉　纂

記五 總八首

興利

卜勝

館舍

橋梁

井

宣州南陵縣大農陂記　韋瓘

宣郡支邑十城而南陵處劇蓋由庶民蕃豪物產多狀山川闘錯風俗詭浮故理東則民潰政放則民怠俱不得其極自非肅廉和敏措動守中則莫至焉能況功利及物邪皇帝四年今地官侍郎盧公觀察宣郡精心厚下重難邑長乃以寧國令順陽范君假南陵印爲大夫於是肅以檢姦廉以約身和以納民敏以應物物不天落民得休泰盧公嘗曰時或爽候雲龍遁逃膏澤翔枯物不遂液吾人其瘁乎下令邑中有能修復陂塘積水防患者終懋厥功先時縣有廢陂曰大農積歲不理荒梗幽匿邱隰遁形空規殘狀非鄉黨之壽耋不可欸識與人飛語他邑病能訾訾囂囂波翻風合范君獨判於心不畏騰口曰利於人也使吾獲戾而罷悔眞吾心也且黔愚皆苦於始作而泰於成功況吾君侯明吾天子聖尚

何懼哉乃召鄉老里正尹而計之具畚挶列綆鍤笪礫甓堅披材輦壞日必巡丈周察勢便仁以撫馴悅以附來法以督姦勤以勸勞於是雲動雷行斬莽闢蕪撥腐曝淤培高徹卑不知形疲不憚苦骨不殘民力不費金刀潛軼化工事於農隙三旬而畢不戮一人其始也驅江波六十里活活下來闢荒梗數萬畝汪汪虛明疊石構嶺縱三百步龍蟠虎鬭橫殺衝波泄流引洫劈發三港支分脈散澤入大田厥功既成乃風雨暴鬭洄復換晨虺虺沸會似聞構作及乎雨斬雲除則沙洲突出力捍嶺下若自開闢之初信爲神物所相雖使江河合災驚濤懷山大浸崩驅暴猛來敵亦不能軼峻防而侵厚趾斯乃天贊其功豈非仁深於物乎其或火雲爇天旱魃爲虐歊蒸瘴怒蛟龍逭誅而翠瀲搖岸澄瀾洗月溶溶浩浩獨落天光順勢導流猶潤百里則貫畦浮塍卒歲之溉千頃豈爲多哉其細也孕鱗甲之族育鳧雁之羣羅生菰蒲蔓合菱藻漁父舟人浩歌揚檝厚生之物永永不極斯功也可以灼當世而芳

千古矣昔者西門豹治鄴召翁卿治上蔡而史氏書美顯白良能以其因水茂功利澤及物者也則大農傑跡功符天作可以論古對能豈有愧乎范君尋遷御史後三年吏民益慕而願表允功今連率范公以文行德器挺爲時賢爰領宣郡仁義明舉其下聳善常推至公邑人三請於公乃曰他人有善惟恐不聞況伯氏功利如是吾豈詭故哉乃從之邑長李君久以材能弘張其化吏民甚安之追論大農盛績因民之心以成其善志亦春秋之事也鄉將石定錄事丁宗耆壽戴誠佐史章倚或參其議或督其事洎百姓朱綸李縱田邱程肖等若干人咸請予爲記云

鹽池記　　梁肅

黃河自崑崙山東會溟漲九折迴互鹽泉各一儒者書以爲海目則郇瑕氏之地瀆流其長觀乎北浴陵阜南瀕山麓湛湛煙碧浩無春冬蒸騰雲霓出入日月亦云廣矣雖吞嚙坰隧代增湏鹵而利倍農穡有殷家邦貿惟從山湏不加海交兩都之軌遼延萬賈

之資貨是人不厭也當武后聖政務述省方鳴鑾載臨流濟旋斾洎皇明道發澤漸殊垠天之既啟鹽乃旋復非夫蟠蚪神應坤坎靈孕亦曷能旌昏明鑄負勝矣帝所宜念賁然來思分天牧以涖擇藩佐而貳賢能鮮墜于事則光肩宇通閈閎扼拓磯之左隅鄰大邑之東部崇府庫歲望乎儲蓄樞管鍵夕俟乎閉藏茲乃慮終於始也邦貴康食戒之克勤人非忘勞道在悅使大命日下巡功歲移廣岸砥平而可礪修畦綺分以如織是時也春光奪炎氣興洪溝浚白波騰或滀或汩以泙以瀰狀雲洩而雨駭或花明而雪凝京坻蘊崇豆區嘉量隸戶徵算鹽人揭書民無不供先薄稅以從賦君孰與足逮黎庶而必分固非擅權利貴貨易土登陸而雷軿流日驟水而雲艫擊星律有變給用無絕傳曰山澤林鹽國之寶也茲其是焉若周物揆情易人推類施之求報大道之玄德也明則啟祚聖人之却變也降人納污明君之藏垢也羹飪調膳賢人之入用也包四美而世濟資百工而國貞將以樹善永年非石無以紀垂裕裔冑非文無以揚則我晉寶達于萬方也

東山記　張說

兵部尚書同中書門下三品修文館大學士韋公體含真靜思叶幽曠雖翊亮廊廟而緬懷林藪東山之曲有別業焉嵐氣入野榛煙出谷石潭竹岸松齋藥畹虹泉電射雲木虛吟恍惚疑夢閒關忘術茲所謂邱壑夔龍衣冠巢許幸溫泉之歲也皇上聞而賞之迺命掌舍設帟金吾劃次大官載酒奉常抱樂停輿輦於青靄佇翬褕於紫氛百神朝于谷口千官飲于池上緹騎環山朱旆燄野縱觀空巷途歌傳壑是日卽席拜公逍遥公名其居曰清虛原幽棲谷景移樂極天子賦詩王后帝女宮嬪邦媛歌焉和焉以寵德也加以中宮敦序謂我諸兄引內子於重幄見兒童於行殿家人之禮優棠棣之詩作於是賚其筐筥下以昭忠信之獻賞其束帛上以示慈惠之恩朝野歡并君臣義洽夫飛翠華歷茨嶺至道之主也紆紫綬期赤松素履之輔也千載一時難乎此遇故兩曜合

舍衆星聚德雅道光華高風允塞寒谷煦景窮崖潤色猗歟盛事振古未有篆之玄石貽代厥後

司徒岐國公杜城郊居記　權德輿

司徒岐國公以盛德相三朝以大中敷五教帝載叶龢太階齊平既致用於方內亦宅心於事外神京善地啟夏南出凡十有六里而仁智之居在焉縈廻巖巘左右勝勢徑術透迤於木杪臺亭嶁嵸於山腹下崇岡冒青蒼步履平夷以至于堂皇四敞窅中容宴豆孤齋閒館幽槪隨之乃開洞穴以導泉脈其流浴浴或決或渟激而杯行瀑為玉聲初蒙於山下終滙於池際白波淪漣緣以方塘輕艫緩棹沿洄上下見煙霞澄霽之狀魚鳥飛沈之適濯于潺湲風于碧鮮紅葩火然素英雪翻芊緜蔥蒨杳窱迴合含虛籟以四達遡清輝而交映故其休沐燕息盍簪投轄則有鳴佩拖紳宗工雋人金閨玉堂之賓淑姿修態迴風遏雲之藝流光含睇中飲笑抃交歡擊節不知公相之貴適其適故也易坤之說曰君子以厚德載物詩曰愷悌君子求福不回惟公以德受福故光明昌大每溫室晏見一人尊禮而不名故其代天工斷國論卓爾以冠羣后暨夫暇日之戾止於斯也則暢天理棲顥氣翛然以遺萬物其無方歟其不器歟昔子房赤松之遊且非代教安石東山之賞僻在下國豈若公密贊化育內諧恬曠如春之仁如樂之和以君臣之交感兼動靜之極摯從古已還無公比焉公之華宗自漢建平侯從杜陵三守本封幾乎千祀故城南墟里多以杜為名逮今郊居不忘厥初又以見積厚流澤此焉囘復且公之心無町畦壽若岡陵昭融烜赫未始有極德輿謬陪衆君子升公之堂竊招盛集靡間弦晦以衆美之不可以不紀也承命遽書刻于巖石云

君陽遯叟山居記　陸希聲

遯叟以斯世方亂遺榮于朝築室陽羨之南而遯跡焉地當君山之陽東谿之上古謂之湖洑渚遯叟既以名自命又名其山曰頤山谿曰蒙谿將以頤養蒙昧也在易頤之象☶艮為山山下有震

震爲雷爲龍頤山之下東走震澤震雷魚龍之所萃毓有頤象焉蒙之象☶亦艮爲山山下有坎坎爲水爲險頤山之下泉流于險而達于大谿有蒙象焉一旦遯叟鶴谿山之神於庭酌而飲頤山曰吾之所以命夫山之爲頤者勖子以養也子其養雲雨以潤物養霧露以生物養風霆以長物養霜雪以肅物養巨材以充棟宇養小材以爲蒸薪養茅菅以爲芟藉養竹箭以爲器用養百果以充口腹養百藥以蠲札瘥養昆蟲使咸樂其生養鳥獸使各遂其性噫無或養妖雲悖雨以傷良稼養苦霧淫露以澤惡植養疾風迅霆以摧槁朽養慘霜虐雪以殺根荄養擁腫之朴不爲榦材養鉤棘之櫱不中樵爨養蔓延之蟲以困條柯養蟠梗之根以固膏土養弗食之實以蕃庶生養雒壽之藥以中函氣養蟒虺蜂蝎以護巢窟養豺狼梟獍以害羣類維山有神子其飲之無虧爾名而竊爾實又酌而飲蒙谿曰吾所以命夫谿之爲蒙者勖子以決也子其決於夷壤以發其源決於塞墳以通其流決於腴畝以施其潤決於涸澤以溥其惠決於廣陂使介鱗蕃育決於巨浸使蚪龍變化噫無或決於險阻以資其悍激決於林藪以縱其墊溺決於舄鹵以嗇其施決於池籞以專其利決於甽竇使鼃蟹爲蓄決於沮洳使鼃黽得志維谿有神子其飲之無喪爾名而浮爾實於是酌而自飲之吾之所以命是山也必將有所養也命是谿也亦將有所決也吾將養吾志於道而不希於世養吾行於德而不眩於俗養吾浩然之氣以合自然之英養吾誠明之意以入清明之賾又將決吾心於仁義使不違決吾志於中正使不過決吾身於天命使不憂決吾跡於遯世使無悶如此而已遂與山谿揖讓謁吾歡而罷抃且歌曰山乎谿乎吾之心乎醒乎醉乎吾與汝參乎

廬州同食館記　陳鴻

合肥郡城南門東上曰同食館梁柱朽蠹軒户欹傾斷栅委階椽落棟折風雨雪霜賓不可宿太守陽平路君刺郡之明年冬十月歲向熟民且閒陶瓦于原伐木于山磨舊礎築新墉迺豐賓堂迺

褰前軒怒栭蚪蚪層櫨牙牙中𢈔洞深高簷騰掀階閒容揖讓楹閒容杯盤柱閒容樂工屏閒容將吏左右爲寢室（一作食）更衣之所朱戶素壁潔而不華東西廂複廊直澍又西開下閤作饗舍廐屋宏大中敞作南門容旋旗駟馬北上作丁字亭亭北列朱檻面城墉其下淤溝開導通水因古岸植竹樹爲風月宴遊地東南自會稽朱方宣城揚州西達蔡汝陸行抵京師江淮牧守三臺郎吏出入多由郡道是館成大賓小賓皆有次舍開元中江淮間人走崤函合肥壽春爲中路大厤末蔡人爲賊是道中廢元和中蔡州平二京路復出于盧西江自白沙瓜步至于大梁斗門堰埭鹽鐵稅緡諸侯權利駢指于河故衣冠商旅率皆直蔡會洛道路不茀賓至授館亦諸侯之事路君以家行文學知於朋友以端方沈默官御史府以詳明典故爲尚書郎以通知政術爲合肥郡太守質平訛心風俗丕變民知敬道吏不敢欺先時郡米數萬石輸揚州軸轤相繼出巢湖入大江歲爲風波沈溺者半迺於湖東北岸橐皋里作膾稟三十九閒州東二邑人米輸於此由申港出新婦江至白沙人不勞水無害復他邑館舍次于同食無私利人人皆樂成昔左邱明傳經因事書事鴻因蔡州道及諸侯之稅因同食館及路君之政亦春秋之旨傳曰自盧已往賑稟同食大和三年太歲己酉正月壬午朔二十日辛丑記

汾河義橋記

崔祐甫

絳人有成橋于稷山縣南汾河水上入境稱曰孝子詢之三十喪父母五十猶縗麻故其鄉黨舍氏不名貴之也初茲縣有具舟之役鄰邑有官修之梁自太原西河上黨平陽至于絳達于雍緜卒迫程賈人射利濟舟爲捷渡口如肆孝子川上喟然歎曰夫來者如斯其可勝紀欲速不達式在茲乎見義不爲非勇也臨難不濟非義也迺願棄家乞諸他郡枯槁藍縷日恒歲積自河閒而東陶唐儉風食貨艱難閭里褊小率合遠邇馳驟餽餉者毳喻美於編戶丁男舍耒而攻木義聲感也汾流湯湯河滸牽射隤沙徙岸呀